Göransson · Lindholm

Nybörjarsvenska

Nybörjarbok i svenska som främmande språk

Övningsbok

Folkuniversitetets förlag

Folkuniversitetets förlag
Magle Lilla Kyrkogata 4
SE-223 51 Lund
Tel. +46 46 14 87 20 Fax +46 46 13 29 04

Fotografierna av läppartikulationen hos långa svenska vokaler är hämtade ur Robert Bannert, *Svårigheter med svenskt uttal: Inventering och prioritering. Praktisk Lingvistik 5, 1980.* Institutionen för Lingvistik vid Lunds Universitet 1980.

Teckningar: Sven Nordqvist

Sjunde upplagan

Tryckt hos Kristianstads Boktryckeri AB, Kristianstad 2002

ISBN 91-7434-458-7

nnehåll

SVENSKA VOKALER

Man läser alfabetet och stavar så här:

A	[a̱]	**G**	[ge̱]	**M**	[ẹm]	**S**	[ẹs]	**Y**	[y̱]
B	[be̱]	**H**	[hå̱]	**N**	[ẹn]	**T**	[te̱]	**Z**	[sạ̀ta]
C	[se̱]	**I**	[i̱]	**O**	[o̱]	**U**	[u̱]	**Å**	[å̱]
D	[de̱]	**J**	[ji̱]	**P**	[pe̱]	**V**	[ve̱]	**Ä**	[ä̱]
E	[e̱]	**K**	[kå̱]	**Q**	[ku̱]	**W**	[dụ̀bbẹlve̱]	**Ö**	[ö̱]
F	[ẹf]	**L**	[ẹl]	**R**	[ạ̈r]	**X**	[ẹks]		

Göran Nilsson stavar namnet så här:

[ge̱] [ö̱] [ạ̈r] [a̱] [ẹn] [ẹn] [i̱] [ẹl] [ẹs] [ẹs] [o̱] [ẹn]

Hur stavar *Lena Nyman* namnet?

Hur stavar *Milan Novak* namnet?

OBSERVERA!

Tryckaccent på vokalen + 0 eller 1 konsonant → lång vokal	la̱	stå̱	ro̱	bu̱!	le̱	trä̱	vi̱	ny̱	mö̱
	la̱s	stå̱t	ro̱t	bu̱s	le̱s	trä̱d	vi̱s	ny̱s	mö̱t
Tryckaccent på vokalen + flera konsonanter → kort vokal	lạss	stạ̊tt	rọtt	bụss	lẹss	trạ̈dd [ẹ]	vịss	nỵss	mọ̈tt

Uttalsövningar

A

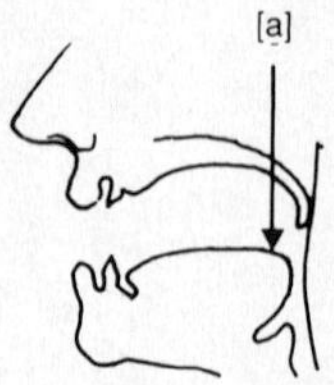

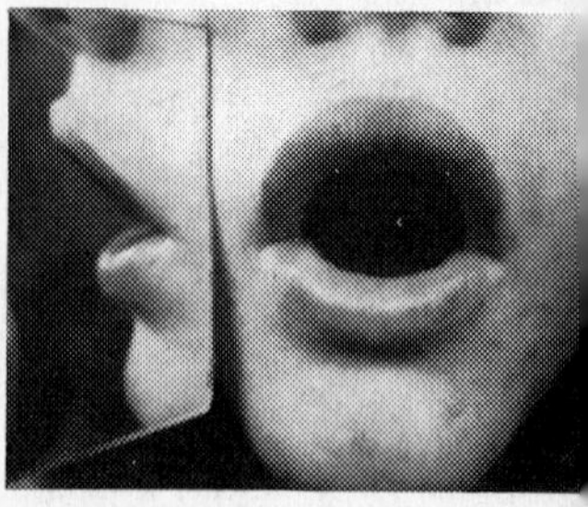

[ạ] glạss

[a̲] gla̲s

OBSERVERA: *Kort vokal före* ***-m*** *och* ***-n****!*

kạm
hạn
kạn
mạn

	[ạ]		[a̲]	
slope	back	–	bak	på cyklen – on the back of the bike
	barr	–	bar	
	dagg	–	dag	day
pond	damm	–	dam	lady
neighbour	grann	–	gran	spruce/xmas tree
hall	hall	–	hal	
cold	kall	–	kal	
mat?	matt	–	mat	meal
thanks	tack	–	tak	roof
	tall	–	tal	speak/talk
	vall	–	val	whale
	backa	–	baka	bake
	banna	–	bana	
	barra	–	bara	only
flag	flagga	–	flaga	
	galla	–	gala	
	hacka	–	haka	chin
coat	kappa	–	kapa	
	ladda	–	lada	
carpet	matta	–	mata	
	skatta	–	skata	
	smacka	–	smaka	taste

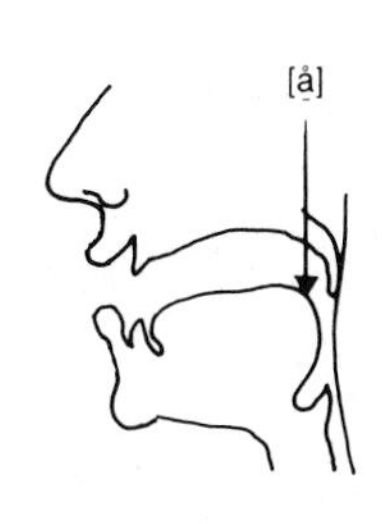

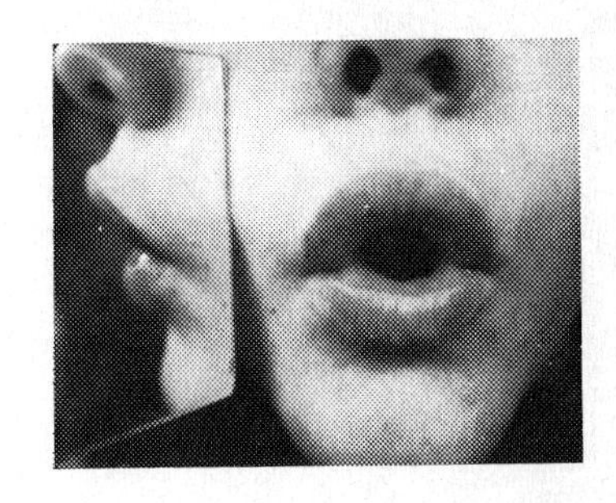

 tạ̊ng  [ạ̊] kọpp [å̱] kå̱l  ko̱l 

BSERVERA! *1 ljud men 2 bokstäver!*

[ạ̊]		[å̱]
borr	–	bår
grått	–	gråt
håll	–	hål
kock	–	kåk
logg	–	låg
lott	–	låt
noll	–	nål
rådd	–	råd
rock	–	råk
sån	–	son, sån
stått	–	ståt
oss	–	ås

OBSERVERA! *1 ljud men 2 bokstäver!*

[o̱]		[å̱]
klo	–	klå
mor	–	mår
nos	–	nås
snor	–	snår
ro	–	rå
stor	–	står
os	–	ås
bok	–	båk
Bos	–	bås
bor	–	bår
botar	–	båtar
dosa	–	dåsa
otro	–	åtrå
skola	–	skåla

[ạ̊]		[o̱]
dock	–	dok
lock	–	lok
sopp	–	sop
soppa	–	sopa

[ọ]		[ạ̊]
dom	–	de, dem
Rom	–	rom
rott	–	rått
trott	–	trått
skott	–	skott

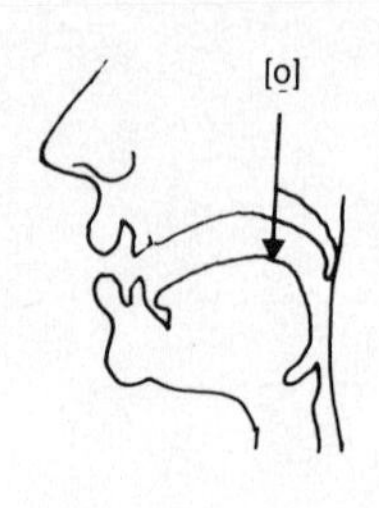

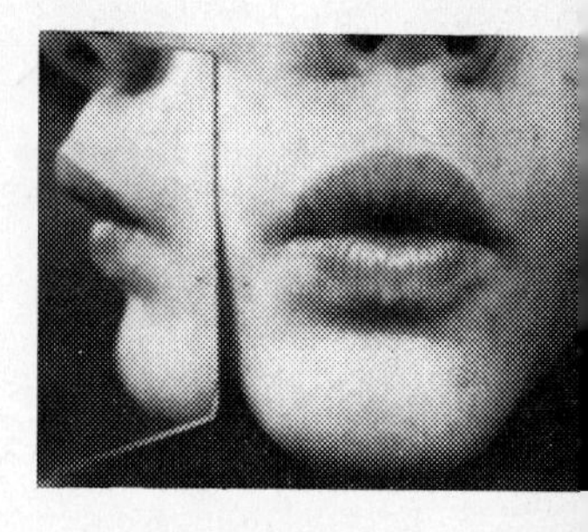

[ọ]		[o̱]
ọst		sto̱l
bott	–	bot
rott	–	rot
skott	–	skot
kossa	–	kosa

OBSERVERA: *kort vokal i*

họn
họs
tọm

U

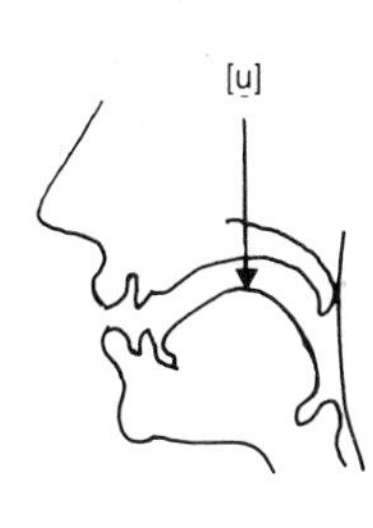

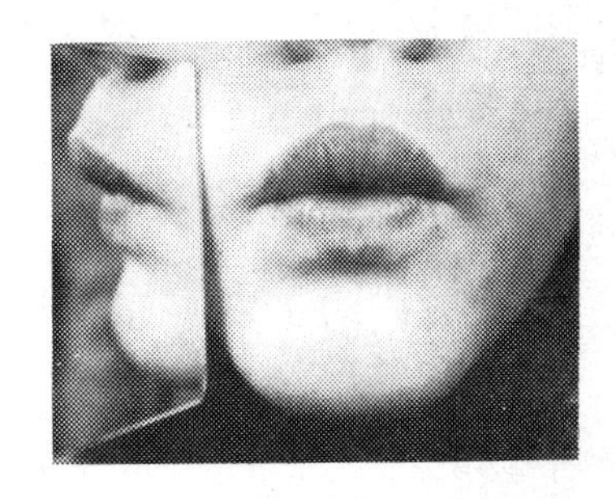

[ụ]	[u̱]
bụss	hu̱s

OBSERVERA: *kort vokal före -**m** och -**n**!*

dụm
rụm
Gụn
mụn

[ụ]		[u̱]
brunn	–	brun
buss	–	bus
full	–	ful
Gull	–	gul
hutt	–	hut
kull	–	kul
russ	–	rus
strutt	–	strut
bussar	–	busar
bugga	–	buga
ducka	–	duka
fulla	–	fula
kulla	–	kula
skutta	–	skuta
sugga	–	suga
slutta	–	sluta
tunna	–	Tuna

OBSERVERA!

Gu̱drụn
Sku̱rụp
Stu̱rụp
bụrnu̱s

OBSERVERA!

dju̱r + sju̱k + hu̱s = dju̱rsju̱khu̱s

E

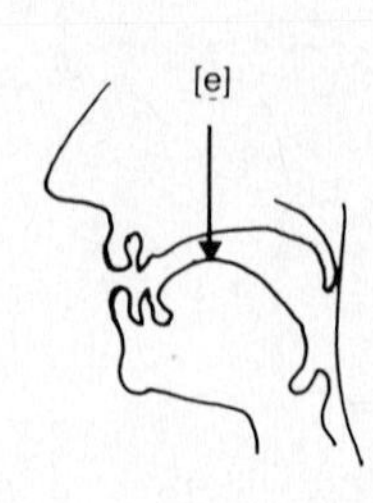

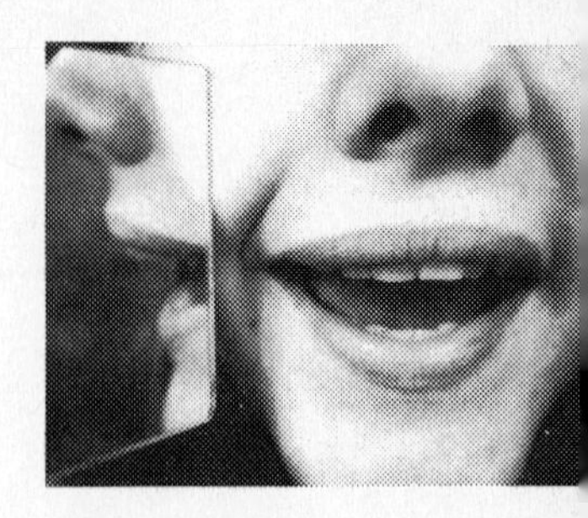

OBSERVERA: *kort vokal före* ***-m*** *och* ***-n****!*

hẹm
vẹm
dẹn
ẹn
Svẹn

1

[ẹ]		[e̱]
ẹtt		bre̱v
sedd	–	sed
ledd	–	led
fett	–	fet
vett	–	vet
hett	–	het

Ä

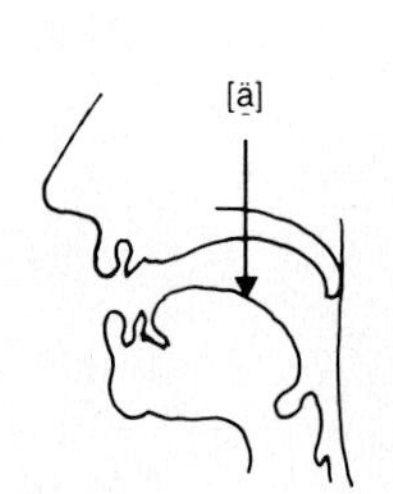

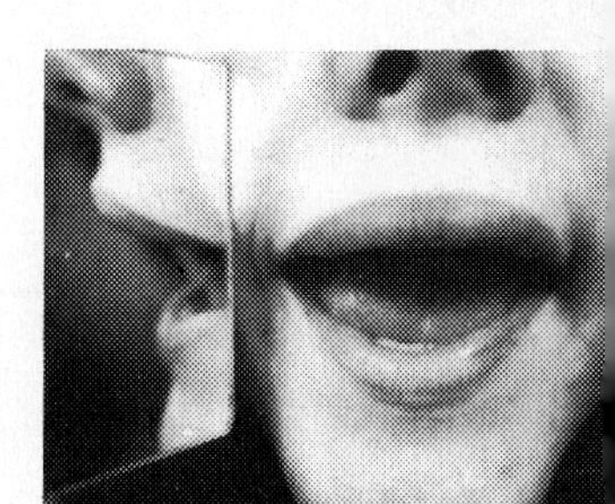

OBSERVERA: *e och ä före* ***-j*** *och* ***-r****!*

[ạ̈]

nej
Gert
berg
herr
verk, värk
ärm
färg

värmeverk
[ạ̈] [ẹ][ạ̈]

[ẹ]		[ä̱]
hạ̈st		vä̱g
vägg	–	väg
mätt	–	mät
nätt	–	nät
tätt	–	tät
säll	–	säl
rätt	–	rät

OBSERVERA:

ett *ljud men* ***två*** *bokstäver:* [ẹ] lẹtt (1) – lạ̈tt (2) [ạ̈] vẹrk (1) – vạ̈rk (2)

en *bokstav men* ***tre*** *ljud:*

1 [ẹ] veck 2 [e̱] vek 3 [ạ̈] verk
1 [ẹ] vägg 2 [ä̱] väg 3 [ạ̈] värk

I

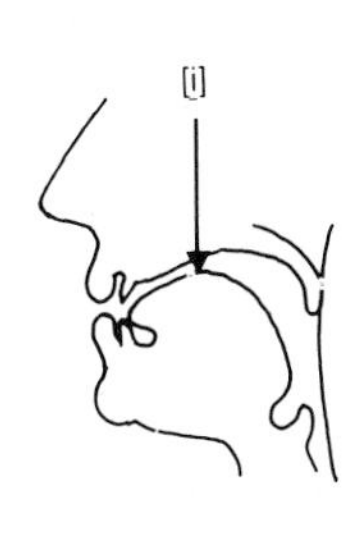

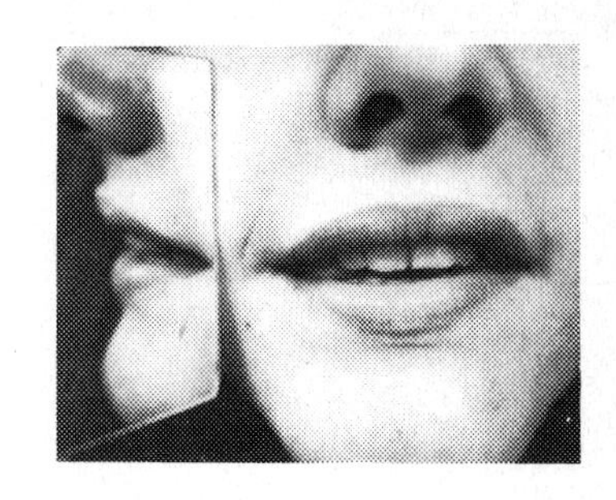

[i] fisk — [i] bil

OBSERVERA: *kort vokal i*

din
in
min
sin

Bill – bil
ditt – dit
fick – fik
finn – fin
ritt – rit
sill – sil
still – stil
spritt – sprit
vidd – vid
viss – vis
vitt – vit
ficka – fika
finna – fina
flicka – flika
lilla – lila
limma – Lima
stinna – Stina
slippa – slipa
spritta – sprita
smitta – smita
tigga – tiga
villa – vila
vinna – vina
vissa – visa

Y

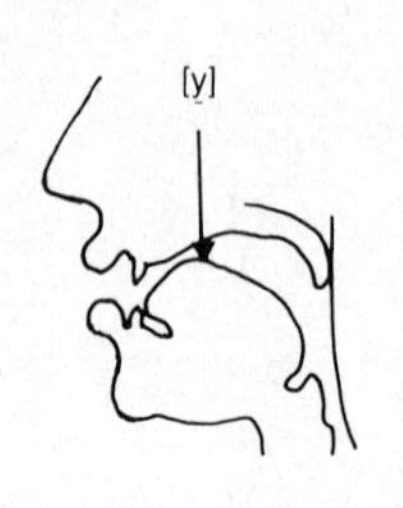

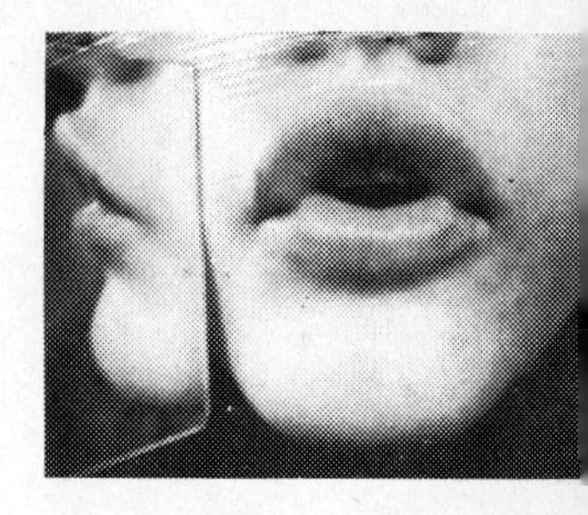

[y̦]	[y̱]
ry̦gg	ty̱g

nyss – nys
tydd – tyd
syll – syl
rycker – ryker
bytta – byta
syllar – sylar
flytta – flyta

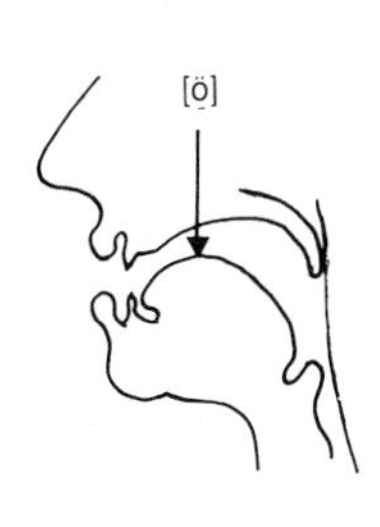

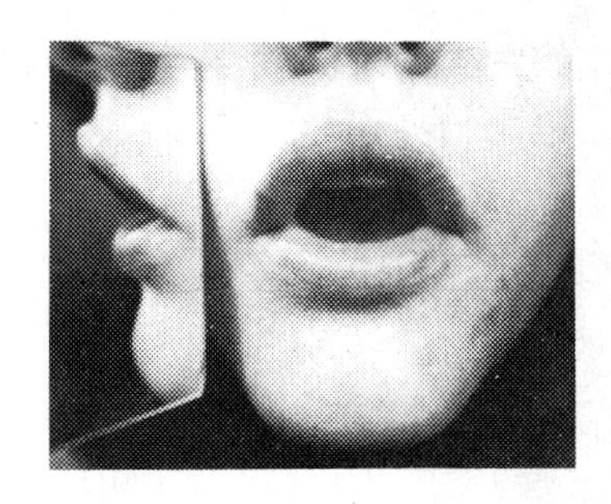

[ọ̈]	[ö̱]
mọ̈ss	brö̱d

BSERVERA: *kort vokal i*

drọ̈m
glọ̈m
sjọ̈n

högg	–	hög
mött	–	möt
nött	–	nöt
nödd	–	nöd
lönn	–	lön
kött	–	tjöt
sjön	–	skön
mötta	–	möta
stödda	–	stöda
lödda	–	löda
nötta	–	nöta
skötta	–	sköta

Kontrastiva övningar

Läs högt!

bad
bod
bud
bed
bedd, bädd [ẹ]
*

back
bak
bock [ạ̊]
båk
bok
buk
beck, bäck [ẹ]
byk
bök
*

barr
bar
borr [ạ̊]
bår, bor [å]
bor
burr
bur
ber
bär
bör
*

bas
bås
Bos
buss
bus
bes
bis
bys
*

båt
bott
bot
bett
bet
bit
bytt
byt
*

dock [ạ̊]
dok
duk
däck [ẹ]
dök
*

damm
dam
dom [å]
de, dem [å]
dom [ọ]
dum [ụ]
dämm [ẹ]
döm [ö̩]
*

fann
fan
fån
finn
fin
Fyn
fön
*

fall
fal
fåll
full
ful
fäll [ẹ]
fel
fil
fyll
föll
föl
*

far
får
for
fur
fyr
förr
för
*

fatt
fat
fått
fot
fett
fet
fött
*

grann
gran
gren
grin
gryn
grön
*

hall
hal
håll
hål
hull
hel
häll [ẹ]
häl
höll
*

har
hår
hor
hur
herr
här
hyr
hör
*

kall
kal
koll
kål, kol [å]
kjol
Kjell
kel
kil
kyl
köl
*

lån
lon
len
län
lönn
lön
*

lass
las
lås
loss [ạ̊]
los
lus
less
les
läs
Liz
lyss
lys
löss
lös
*

mall
mal
moll [ạ̊]
mål
mol
mil
*

man
man
månn
mån
mon
mun
men, män [ẹ]
men
min
min
mön
*

mas
mås
mousse [ọ]
mos
mus
mäss [ẹ]
mes
miss
mys
möss
mös
*

par
porr
por
pur
Pär
pirr
pir
pyr
*

sal
såll
sol
säll [ẹ]
sel
säl
sill
sil
syll
syl
söl
*

tar
torr [ạ̊]
tår
Tor
tur
ter
tär
tör
*

vadd
vad
våd
ved
vidd
vid
*

natt
nat
nått
not
nätt [ẹ]
nät
nitt
nyt
nött
nöt
*

ras
rås
ros
russ
rus
ris
ryss
rys
rös
*

tagg
tag
tåg
tog
teg
tigg
tig
tyg
*

Läs högt!

badda
bada
Boda
budda
buda
bädda
båda
Böda
*

backa
baka
bocka [ạ̊]
boka
becka
böka
*

balla
bila
bulla
bula
*

banna
bana
bona
bena
bina
böna
*

båta
bota
beta
bita
byta
böta
*

falla
fa̱la
fålla
fulla
fu̱la
fälla [ẹ]
fe̱la
fi̱la
fylla
fö̱la
*

fa̱ra
få̱ra
fo̱ra
fu̱ra
fi̱ra
fy̱ra
förra
fö̱ra
*

ha̱la
hå̱la
hålla
hälla [ẹ]
hylla
*

kalla
ka̱la
kolla [ạ̊]
ko̱la [å̱]
ko̱la
kulla
ku̱la
*

ladda
la̱da
lo̱da
lå̱da
ledda
le̱da
li̱da
ly̱da
lödda
lö̱da
*

lagga
la̱ga
lå̱ga
logga [ạ̊]
lugga
lägga [ẹ]
le̱ga
ligga
li̱ga
*

lassa
lossa [ạ̊]
lå̱sa
lussa
lu̱sa
lässa [ẹ]
lä̱sa
lissa
Li̱sa, leasa
ly̱sa
lö̱sa
*

ma̱la
målla
må̱la
mo̱la
mu̱la
mi̱la
mylla
mölla
*

ma̱na
må̱na
me̱na
minna
mi̱na
mynna
*

massa
ma̱sa
mossa [ạ̊]
mo̱sa
mu̱sa
mässa [ẹ]
me̱sa
my̱sa
mössa
*

na̱sa
no̱sa
ne̱sa
nä̱sa
ny̱sa
*

packa
pocka [ạ̊]
pu̱ka
pe̱ka
picka
pi̱ka
*

racka
ra̱ka
rocka [ạ̊]
rå̱ka
rucka
räcka [ẹ]
re̱ka
rä̱ka
ricka
ri̱ka
rycka
ry̱ka
rö̱ka
*

ra̱sa
ro̱sa
rosa [å̱]
ru̱sa
re̱sa
ri̱sa
ry̱sa
rö̱sa
*

ratta
ra̱ta
råtta
ro̱ta
rätta [ẹ]

re̱ta
rä̱ta
ri̱ta
ry̱ta
rö̱ta
*

sa̱la
sålla
so̱la
su̱la
se̱la
sälla [ẹ]
sö̱la
*

sanna
so̱na
se̱na
si̱na
sy̱na
*

satta
så̱ta
so̱ta
sätta [ẹ]
zä̱ta
sitta
sö̱ta
*

ta̱ga
tå̱ga
tugga
te̱ga
tigga
ti̱ga
*

VENSKA KONSONANTER

ttalsövningar

s]	[tj]	[sj]
ela	kela	skela
äll	Kjell	skäll
ända	kända	skända
ära	kära, tjära	skära
ärna	kärna	stjärna
ina	Kina	skina
inka	kinka	skinka
yl	kyl	skyl
ocka	tjocka	chocka
öt	tjöt	sköt
ött	kött	skött

j]	[tj]	[sj]
ätte	kätte	sjätte
äll	Kjell	skäll
ina	Kina	skina
järv, järv	kärv	skärv
ärna	kärna	stjärna
juta	tjuta	skjuta
jöt	tjöt	sköt
ött	kött	skött

[rd]	[rl]	[rn]	[rs]	[rt]
ord	pärla	barn	kurs	ort
gård	farlig	hörn	kors [å]	kort
gjorde	härlig	gärna	person	kort [å]
fjärde	Arlanda	Arne	varsågod	sorters [å]
hårda	Karlsson	skorna	torsdag	hjärta
färdig		järnväg	förstå	Lennart
			första	

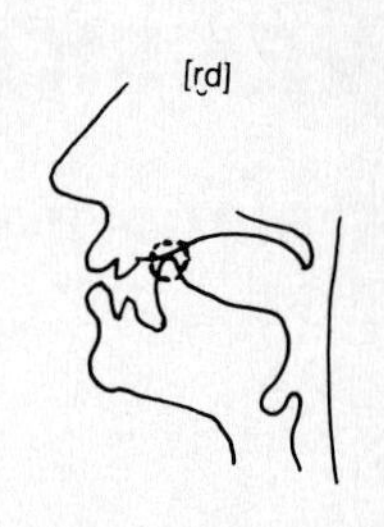

OBSERVERA: *vokalen är lång före* **[rd], [rl], [rn]**

Kontrastiva övningar

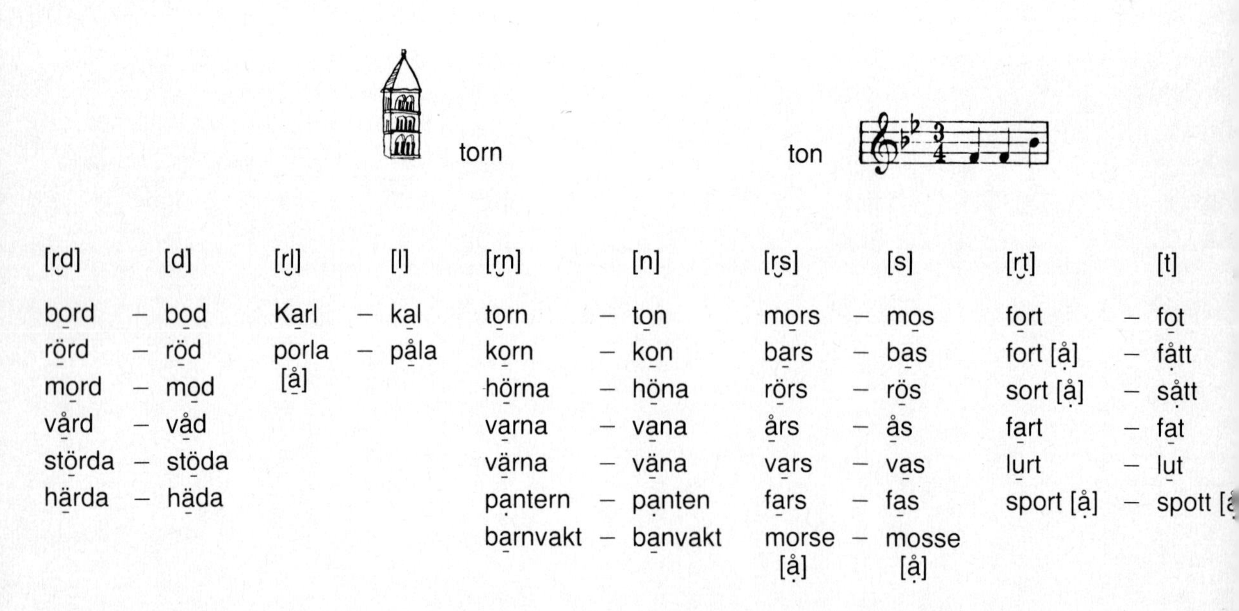

[rd]		[d]	[rl]		[l]	[rn]		[n]	[rs]		[s]	[rt]		[t]
bord	–	bod	Karl	–	kal	torn	–	ton	mors	–	mos	fort	–	fot
rörd	–	röd	porla [å]	–	påla	korn	–	kon	bars	–	bas	fort [å]	–	fått
mord	–	mod				hörna	–	höna	rörs	–	rös	sort [å]	–	sått
vård	–	våd				varna	–	vana	års	–	ås	fart	–	fat
störda	–	stöda				värna	–	väna	vars	–	vas	lurt	–	lut
härda	–	häda				pantern	–	panten	fars	–	fas	sport [å]	–	spott [å]
						barnvakt	–	banvakt	morse [å]	–	mosse [å]			

ng]

[ng]- ljudet

må	ng	a
e	g	n
a	n	k

OBSERVERA: *vokalen är alltid kort före* [**ng**]-*ljudet!*

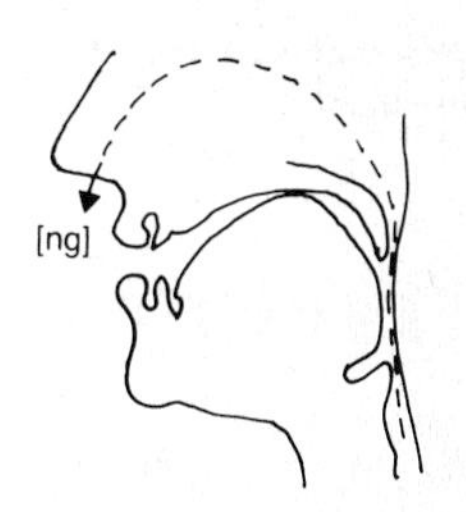

ång	långa	regn	regnar	bank	banker
säng	sängar	vagn	vagnar	hink	hinkar
ung	tunga	ugn	ugnar	bänk	bänkar
ing	ringer	lugn	lugna	tank	tankar
äng	ängar		Agneta	stänk	stänker
rång	trånga		Agnes		tanke
ung	unga		Ragnar	Bengt	vinka
gäng	gänga		Signe	tänkt	rynka
gång	gånger			långt	blänka
kung	kungar			tungt	blanka
sjöng	sjunga			ringt	blinka
sång	gunga				
idning	hungrig				
estaurang	kunglig				
	längre				
	yngre				
	tyngre				
	ringde				

Ingen aning!
många långa trånga gångar
Ragnar springer långt i regnet

SVENSK ACCENT

Tryckaccent

Kontrastiva övningar

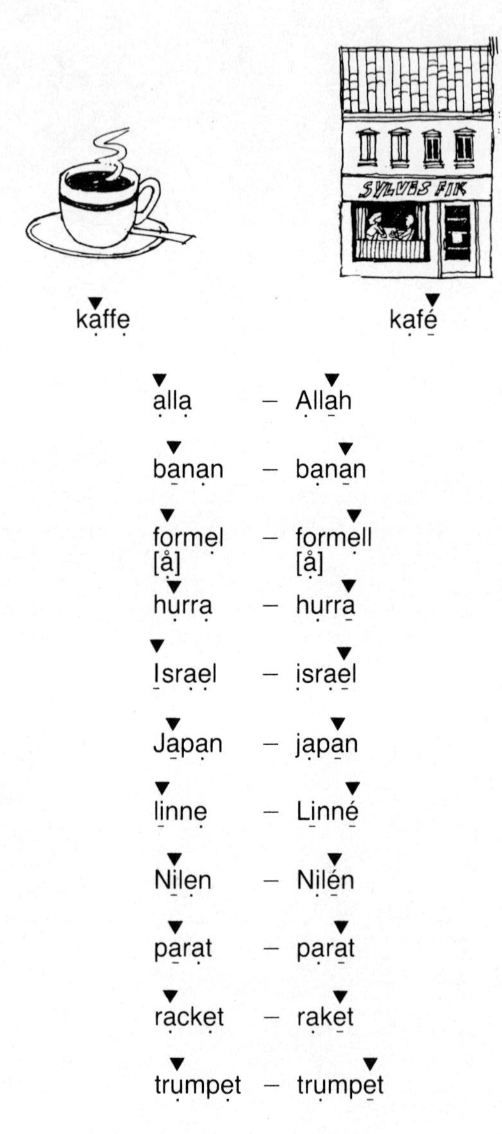

kaffe kafé

alla – Allah

banan – banan

formel – formell
[å] [å]

hurra – hurra

Israel – israel

Japan – japan

linne – Linné

Nilen – Nilén

parat – parat

racket – raket

trumpet – trumpet

Tonaccent, ordmelodi

Kontrastiva övningar

accent 1		*accent 2*
ingen tonaccent		*tonaccent*
		musikalisk accent

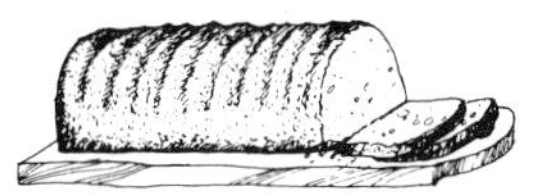

skuren		skùren
anden	–	ànden
biten	–	bìten
brunnen	–	brùnnen
gången	–	gången
regel	–	règel
stegen	–	stègen
tomten [å]	–	tòmten [å]
värden, världen	–	värden

stor stad		stòrstad
fem ton [å]	–	fèmton [å]
små barn	–	småbarn

Uttalsövning

▾ satsaccent och tryckaccent
` tonaccent
. kort vokal
- lång vokal
/ uttalas inte

Studera sidorna 10–13 i Läroboken!

Läs texten högt! (Text 1)

En familj

Hej!

Jag heter Göran Nilsson. Jag har en fru. Hon heter
[j] [å]
Ulla Nilsson. Vi har två barn, en pojke och en flicka.
[å] [å] [å]
Han heter Kalle, och hon heter Berit. Vi bor i en
[å]
lägenhet i ett hus. Det ligger på Storgatan tolv i Lund.
[å]
Lund är en stad. Den ligger i Sverige. Sverige är ett
[e] [ä][j] [ä][j] [e]
land. Det ligger i Europa.

Läs texten högt! (Text 2)

Ett hus i Lund

Familjen Nilssons lägenhet är på tre rum och kök.
[å] [e] [å] [tj]
De har ett vardagsrum och två sovrum. De har också
[dåm] [å] [å] [dåm] [å]
ett kök, en hall, ett badrum och en balkong.
[tj] [å] [å][ng]
Familjen Svensson bor också på Storgatan tolv. De har
[å] [å] [å] [dåm]
tre barn. Svenssons har en lägenhet på fyra rum och
[å] [å]
kök. De har ett vardagsrum och tre sovrum.
[tj] [dåm] [å] [å]

Läs texten högt! (Text 3)

Familjen Svensson
[å]

Familjen Svensson består av fem personer. Det finns en
[å]
far och en mor och tre barn i familjen. Birgitta och Erik
[å] [å] [å]
har en son, som heter Olle och är sexton år, en dotter,
[å] [å] [å] [e] [ks][å] [å]
som heter Anna och är tretton år, och en som heter Karin
[å] [å] [e] [å] [å] [å]
och är två år.
[å] [e]

Familjen har också en hund, som heter Karo.
[å] [å]
Svenssons bor på bottenvåningen i huset, och det är bekvämt
[å] [å] [å] [e]
för en barnfamilj.

Birgitta är hemmafru, men Erik arbetar i Malmö på en
[e]
bilverkstad. Han är bilmekaniker.
[e]

Läs texten högt! (Text 4)

Nilssons
[å]

Göran Nilsson är murare. Han bygger hus. Göran har en bil.
[j] [e] [j]
Varje dag kör han bil till arbetet.
[tj]
Ulla Nilsson är inte hemmafru. Hon är kassörska och hon
[å] [e] [e] [å]
arbetar på ett varuhus. Hon sitter i kassan. Hon har inte

någon cykel, utan hon åker buss till arbetet. Från

busshållplatsen går hon till varuhuset.

Kalle Nilsson är fjorton år. Han arbetar inte. Han går i ▶
[å] [e] [å]

skolan i årskurs sju. Kalle har en cykel. Han cyklar till
[sj]
skolan. Efter skolan cyklar han hem. Kalle har en katt,

som heter Måns. Måns hatar Svenssons hund. Berit Nilsson
[å] [å] [å]
är sjutton år, och hon går också i skolan. Berit cyklar inte,
[e] [sj] [å] [å] [å]
och hon åker inte buss, utan hon promenerar till skolan.
[å]

Läs texten högt! (Text 5)

Bo kommer för sent
[å]

Klockan är halv åtta på morgonen. Bo Lundin står och
[å] [e] [å] [å] [å]
väntar på bussen till universitetet, men den kommer inte.
[e] [å]
Bo går fram och tillbaka på busshållplatsen, men bussen
[å]
kommer fortfarande inte. Bo tittar på klockan. Den är kvart
[å] [å] [e]
i åtta, och lektionen i engelska börjar kvart över åtta.
[å] [sj] [ng]
Bo börjar gå till universitetet, men han kommer inte dit
[å]
förrän klockan halv nio. Han kommer för sent.
[e] [å] [å]
Klockan tio slutar lektionen, och då börjar Bo gå till
[å] [sj] [å]
busshållplatsen. Men då kommer bussen! Den kommer för tidigt!
[å] [å]
Bo börjar springa, men han hinner inte. Han kommer för sent
[ng] [å]
igen. Bussen kör vidare, och Bo börjar gå hem. Han är inte
[j] [å] [e]
hemma förrän kvart i elva. Han har verkligen otur idag!
[e]

1

Vad heter de?

Exempel:

Göran — Jag heter Göran. — jag

1 Åke — jag

2 Ingrid — du

3 Sven — han

4 Eva — hon

5 Lund — den

6 Sverige — det

7 Torsten Greta — vi

8 Erik Birgitta — ni

9 Svensson — de

Pronomen

A *Skriv rätt pronomen!*

Exempel: Danmark är ett land. Det ligger i Europa.

1 Ingrid har en pojke. _____ heter Mats.

2 Åke har en fru. _____ heter Eva.

3 Erik och Birgitta har tre barn. _____ heter Olle, Anna och Karin.

4 Lund är en stad. _____ ligger i Sverige.

5 Ulla har en man. _____ heter Göran.

6 Torsten har en fru. _____ heter Greta.

7 Göran och Ulla har två barn. _____ heter Kalle och Berit.

8 Sverige är ett land. _____ ligger i Europa.

9 Kalle bor på en gata. _____ heter Storgatan.

10 Göran bor i ett hus. _____ ligger på Storgatan.

B *Skriv meningar!*

Exempel: flicka/Berit Det är en flicka. Hon heter Berit.

1 pojke/Kalle _____ _____

2 familj/Nilsson _____ _____

3 stad/Lund _____ _____

4 gata/Storgatan _____ _____

5 land/Sverige _____ _____

6 flicka/Ingrid _____ _____

7 man/Göran _____ _____

8 kvinna/Ulla ________ ________

9 två barn/Berit, Kalle ________ ________

10 barn/Anna ________ ________

'amiljen berättar

kriv meningarna färdigt!

n far (pappa) Göran   en mor (mamma) Ulla   en bror Kalle   en syster Berit

Hej. Jag ________ Ulla Nilsson. Jag ________ en man. Han ________ Göran Nilsson. Vi ________ en pojke och en flicka. Han ________ Kalle och hon ________ Berit. Vi ________ i ett hus på Storgatan 12 i Lund.

Hej. ________ heter Kalle Nilsson. ________ har en pappa och en mamma. ________ heter Göran och ________ heter Ulla. ________ har en syster. ________ heter Berit ________ bor i ett hus på Storgatan 12 i Lund.

Hej. ________ ________ Berit Nilsson. ________ ________ en pappa och ________ ________. ________ ________ Göran och ________ ________ Ulla. ________ ________ en ________ ________ ________ Kalle. ________ ________ ________ ________ ________ ________ Storgatan 12 ________ Lund.

Frågor och svar

Titta också på sidan 8–9 i läroboken!

Exempel: Vem är det? Det är Göran Nilsson.

1 ____________? ____________

2 ____________? ____________

3 ____________? ____________

4 ____________? ____________

5 ____________? ____________

6 ____________? ____________

7 ____________? ____________

8 ____________? ____________

9 ____________? ____________

10 ____________? ____________

2

Matematik

Skriv med bokstäver!

Exempel: 3 + 4 = 7 Tre plus fyra är sju.

1 8 − 6 = 2 ______

2 5 + 9 = 14 ______

3 13 − 1 = 12 ______

4 3 × 7 = 21 ______

5 10 + 12 = 22 ______

6 42 : 7 = 6 ______

7 17 + 7 = 24 ______

8 8 × 9 = 72 ______

9 44 − 16 = 28 ______

10 27 : 9 = 3 ______

3 *Skriv med bokstäver!*

Exempel:

98	61	87	111
nittioåtta			
18	14	436	707

Var bor du?

Exempel:

Var bor Göran Nilsson? Han bor på Storgatan 12 i Lund
(Storgatan 12, Lund)

1 Var bor Sonja Ekström? ______
(Tvärgränd 23, Göteborg)

2 Var bor Sten Olsson? ______
(Nygatan 15, Malmö)

3 Var bor Anita Björk? ______
(Vårgatan 37, Umeå)

4 Var bor Knut Andersson? ______
(Skolgatan 47, Halmstad)

5 Var bor fru Siv Malmström? ______
(Malmövägen 18, Helsingborg)

6 Var bor du? ______

Vad har familjen Nilsson?

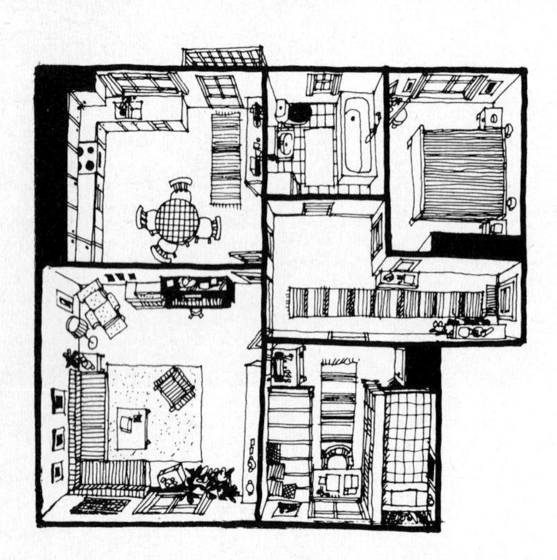

Exempel: De har en lägenhet på tre rum och kök.

1 ______________________ 2 ______________________

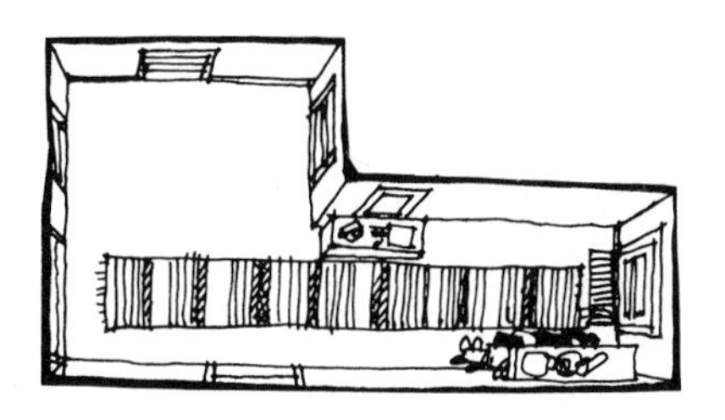

3 ______________________ 4 ______________________

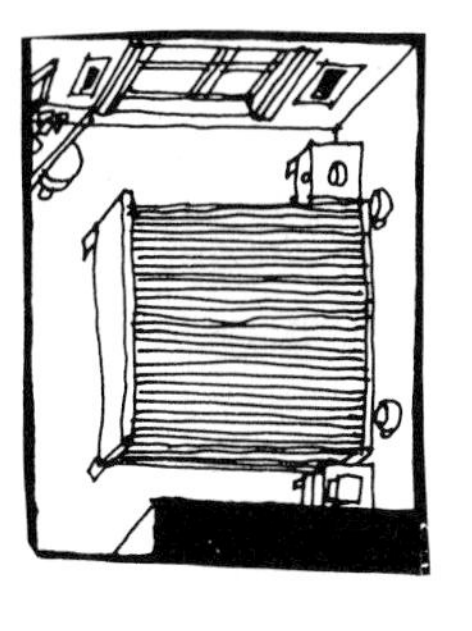

5 ______________________ 6 ______________________

7 ______________________ 8 ______________________

3

Vad är det?

Exempel:   Det är en familj.

1 ______

2 ______

3 ______

4 ______

5 ______

6 ______

7 ______

8 ______

9 ______

10 ______

Som

Gör en mening!

Exempel:

De har en flicka. Hon heter Karin.

De har en flicka, som heter Karin.

Familjen har en hund. Den heter Karo.

Hon har en man. Han heter Erik.

De har en pojke. Han är sexton år.

De bor i ett hus. Det ligger i Lund.

Berit har en mor. Hon heter Ulla.

Kalle har en syster. Hon heter Berit.

Familjen Svensson har tre barn. De heter Olle, Anna och Karin.

Familjen Nilsson har en lägenhet. Den är på tre rum och kök.

Sverige är ett land. Det ligger i Europa.

Vem är det?

Titta på presentationen på sidorna 6–7 i läroboken!

Exempel:

Bo Lundin — Bo Lundin är 23 år. — Han är student.

1 Monika Holm ____ ____

2 Sven Berg ____ ____

3 Erik Svensson ____ ____

4 Ingrid Ek ____ ____

5 Åke Hellström ____ ____

6 Svea Lindberg ____ ____

7 Milan Novak ____ ____

8 Birgitta Svensson ____ ____

4

n konversation

kriv frågor och svar!

? Eva, Ulla
Berit, Anna

Berit.

Vad

? Lund, Stockholm
Umeå, Uppsala

Stockholm.

Var

? 10 år 60 år
1 år 20 år

23 år.

Hur

? 

Nej.

? 

Ja.

Transportmedel

Exempel: Hur kommer Ulla till varuhuset?
(Titta också på sidan 208–209 i läroboken!)

Hon åker buss.

1 Hur kommer Kalle till skolan?

2 Hur kommer Åke till hotellet?

3 Hur kommer Olle till skolan?

4 Hur kommer Matilda till sjukhuset?

5 Hur kommer Svea Lindberg till Emma?

6 Hur kommer bonden till staden?

7 Hur kommer Berit till skolan?

8 Hur kommer familjen Andersson till centrum i Norrköping?

9 Hur kommer Göran till arbetet?

10 Hur kommer Eva till Paris?

11 Hur kommer Monika till Helsingör i Danmark?

nte . . . utan

A *Skriv meningarna färdigt!*

Exempel: Bo/springer/går — Bo springer inte, utan han går.

1 Anna/cyklar/åker buss

2 Ulla/arbetar på Domus/är hemmafru

3 Kalle/kör bil/cyklar

4 Göran/studerar/arbetar

5 Berit/åker buss/promenerar till skolan

B *Skriv meningarna färdigt!*

Exempel: Kalle/har/en hund/en katt — Kalle har inte en hund utan en katt.

1 Ove/har/en lägenhet/ett rum

2 Pelle/har/en syster/en bror

3 Elsa/har/en son/en dotter

4 Kalle/är/en flicka/en pojke

5 Sverige/är/en stad/ett land

Ordföljd

Skriv meningar! Börja med det kursiverade ordet!

Exempel: Familjen Nilsson bor *på Storgatan 12.*

På Storgatan 12 bor familjen Nilsson.

1 Kalle cyklar *till skolan.*

2 Ulla arbetar *på ett varuhus.*

3 Berit är *sjutton år.*

4 Jag heter *Kalle.*

5 Vi bor *i Lund.*

6 Vi heter *Svensson.*

7 Ulla går *från busshållplatsen.*

8 Katten heter *Misse.*

9 Han är *murare.*

Skriv och berätta!

Berätta om familjen Olsson med hjälp av orden:

Familjen Olsson Tunavägen 18 Umeå ingenjör hemmafru två barn Bodil tio år Per åtta år skolan herr Olsson bil arbetet Bodil cyklar skolan Per går skolan fru Olsson buss Domus mat.

Familjen Olsson bor

Frågor och svar

Exempel:

Erik / cykel	Har Erik någon cykel?	Ja, det har han.
Kalle / bil	Har Kalle någon bil?	Nej, det har han inte.

Ulla / cykel ______________________? ______________________

Kalle / hund ______________________? ______________________

Göran / bil ______________________? ______________________

Huset / fönster ______________________? ______________________

Göran / buss ______________________? ______________________

Svenssons / katt ______________________? ______________________

Köket / fönster ______________________? ______________________

Rummet / balkong ______________________? ______________________

Lägenheten / hall ______________________? ______________________

Bussen / hållplats ______________________? ______________________

5

Vad är klockan?

Exempel:

Klockan är sex.

Någon – inte någon

Exempel: Eva  Eva har inte något hus.

Åke  ? Har Åke någon fisk?

1 Mats ? ______

2 Jasna ______

3 Birgitta ______

4 Kalle ? ______

5 Bo ______

6 Ingrid ? ______

Verb

Skriv meningarna färdigt!

Exempel: tala Bo talar engelska.

1 bygga Göran ____________ hus.

2 arbeta Ulla ____________ på ett varuhus.

3 cykla Olle ____________ hem.

4 springa Bo ____________ till bussen.

5 komma Bussen ____________ inte i tid.

6 köra Erik ____________ till arbetet.

Ordföljd

Skriv meningarna med rätt ordföljd!

Exempel: Klockan åtta/damen/ska/börja Klockan åtta ska damen börja.

1 Kvart över åtta/Kalle/börja/skolan ____________.

2 Olle/sluta/lektionen/klockan tolv. ____________.

3 Klockan halv åtta/Erik/ska/börja/arbetet. ____________.

4 Arbetet/sluta/klockan halv fem. ____________.

5 Bo/kan/tala/engelska. ____________?

6 När/bussen/komma. ____________?

7 Olle/kan/cykla. ____________?

8 Ulla/ska/åka/buss/till arbetet. ____________.

9 Klockan fem/Berit/promenera/hem. ____________.

10 Du/kan/komma/klockan nio. ____________?

Hjälpverb och huvudverb

A *Exempel:* (börjar) Han arbetar klockan åtta. Han börjar arbeta kl. 8.

1 (slutar) Han arbetar klockan fem. ______

2 (ska) Han går till universitetet. ______

3 (kan) Bo talar engelska. ______

4 (börjar) Hon lagar mat klockan fem. ______

5 (ska) Berit cyklar till skolan idag. ______

6 (slutar) De talar när bussen kommer. ______

7 (börjar) Bussen kör. ______

8 (kan) Erik kör bil. ______

9 (börjar) Hon tittar på TV klockan sju. ______

10 (ska) Göran läser tidningen nu. ______

3 *Skriv en fråga.*

Exempel: Kan Bo tala engelska? Ja, det kan han.

1 ________________? Nej, det kan han inte.

2 ________________? Ja, det har hon.

3 ________________? Ja, det ska han.

4 ________________? Nej, det har hon inte.

5 ________________? Nej, det ska han inte.

6 ________________? Ja, det ska hon.

7 ________________? Ja, det kan han.

8 ________________? Nej, det har han inte.

9 ________________? Ja, det har han.

10 ________________? Nej, det kan hon inte.

Skriv meningar!

Exempel: 8–15/studera/Bo Från åtta till fem studerar Bo.

1 Göran/bygga/hus/7–16 ________________

2 6.45–15/Anders/köra buss ________________

3 Eva/arbeta/8.15–15.30 ________________

4 19.30–20/Erik/titta på TV ________________

5 Åke/läsa tidningen/7.15–7.45 ________________

6 8.15–14.30/Kalle/gå i skolan ________________

7 Berit/promenera/14.45–15 ________________

8 Jag/studera/svenska ? – ? ________________

6

Vad gör de?

Vad gör Berit? ______________________________

Vad gör Kalle? ______________________________

Vad gör Göran? ______________________________

Vad gör Ulla? ______________________________

Vad gör Bo? ______________________________

Vad gör Berit? ______________________________

Vad gör Göran? ______________________________

Vad gör Anna? ______________________________

Pengar

Vad är det?

Exempel:

Det är en tjugolapp.

1 ______________________

2 ______________________

3 ______________________

4 ______________________

5 ______________________

6 ______________________

7 ______________________

8 ______________________

Hur mycket är det?

Exempel:

Det är en och femtio.

1 ______________________

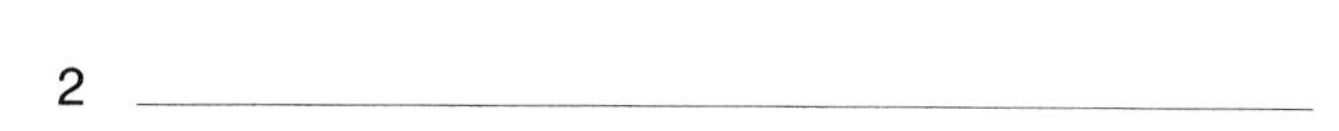

2 ______________________

3 ______________________

4 ______________________

5 ______________________

När?

Svara på frågorna!

Exempel:

När börjar Åke arbeta? Han börjar arbeta klockan halv nio

1 När börjar skolan? ______________________

2 När slutar Ulla arbeta? ______________________

3 När ska Birgitta handla? ______________________

4 När börjar Bo studera? ______________________

5 När ska han komma hem? ______________________

Vad kostar det?

A en liter mjölk, 6 kr
B ett paket smör 20:50 kr
C en limpa, 24:50 kr
D en bit ost, 41:50 kr
E ett paket korv, 24:50 kr
F en tidning, 6 kr.

Svara på frågorna!

Exempel:

A Vad kostar mjölken? Den kostar sex kronor.

B Vad kostar smöret? ______________________

C ______________________? ______________________

D ______________________? ______________________

E ______________________? ______________________

F ______________________? ______________________

Vad blir det?

Ulla Nilsson är i en affär. Hon tar två liter mjölk, en limpa, en bit ost och ett paket smör. Vad blir det?

____

Berit tar ett paket korv, en limpa och en liter mjölk. Vad blir det?

____

Göran tar en tidning och en bit ost. Vad blir det?

____

7

Skriv och berätta!

Berätta om Birgitta Svenssons syster med hjälp av orden.

Birgitta Svensson syster Bodil Lund Göteborg tvårumslägenhet Götgatan 7 lärare skola klockan sju frukost radio kvart i åtta arbetet börjar kvart över åtta slutar halv fyra hem affär mjölk hem halv fem tidningen middag tv.

Birgitta Svensson har en syster som

Ordföljd

Skriv meningar. Börja med det kursiverade ordet!

Exempel:

2	2
Vi börjar *klockan åtta.*	Klockan åtta börjar vi.

Karin äter lunch *klockan ett.* Klockan ett äter Karin lunch.

1 Bussen går *klockan halv nio.* ____________

2 Erik köper en tidning *klockan sju.* ____________

3 Han går hem *sedan.* ____________

4 Han dricker kaffe *då.* ____________

5 Olle tittar på TV *klockan halv åtta.* ____________

6 Han dricker kaffe *sedan.* ____________

7 Svea arbetar *mellan klockan nio och klockan tolv.* ____________

____

8 Mats vaknar *klockan kvart över åtta.* ____________

____

9 Klockan nio börjar *kafferasten.* Kafferasten börjar klockan nio.

10 Då dricker *vi* kaffe. ____________

11 Sedan arbetar *vi.* ____________

12 Klockan fyra går *vi* hem. ____________

13 Klockan halv fem är *vi* hemma. ____________

Frågor och svar

Läs text 4 och skriv frågor!

Exempel:

Var bor Göran Nilsson? ______ Han bor på Storgatan 12 i Lund.

1 ______ Han är 43 år.

2 ______ Han är murare.

3 ______ Han arbetar på ett bygge.

4 ______ Han börjar klockan sju.

5 ______ Han har kafferast mellan halv tio och tio.

6 ______ Han slutar klockan fyra.

7 ______ Hon heter Ulla.

8 ______ Hon är 38 år.

9 ______ Hon är kassörska.

10 ______ Hon arbetar på ett varuhus i centrum.

11 ______ Hon arbetar mellan nio och två.

12 ______ De går i skolan.

13 ______ Han börjar klockan åtta.

14 ______ Hon slutar klockan halv två.

15 ______ Hon är 17 år.

När?

Svara på frågorna!

Exempel: När arbetar Erik? Han arbetar mellan halv åtta och halv fem.

1 När arbetar Olof?

2 När äter Erik lunch?

3 När äter Olof lunch?

4 När tittar Erik på TV?

5 När är Anna i skolan?

6 När badar Bo?

7 När äter Erik middag?

8 När har Kalle lektion i geografi?

9 När studerar Bo?

10 När studerar Du svenska?

8

Dygnets tider

A *Skriv om meningarna.*

Exempel:

Det är morgon och klockan är sju. Klockan är sju på morgonen.

Det är förmiddag och klockan är tio. ____________________

Det är eftermiddag och klockan är tre. ____________________

Det är kväll och klockan är nio. ____________________

Det är natt och klockan är ett. ____________________

B *Skriv frågor och svar!*

Exempel:

Ingrid / morgon / äter frukost

Vad gör Ingrid på morgonen? På morgonen äter Ingrid frukost.

Bo / förmiddag / studerar engelska

____________________? ____________________

Birgitta / eftermiddag / handlar mat

____________________? ____________________

Erik / kväll / tittar på TV

____________________? ____________________

Kalle / natt / sover

____________________? ____________________

n turlista

Eslöv–Malmö

km								
0	**Eslöv**		13.33	13.42	13.54		14.28
8	Örtofta				14.01		14.35
12	Stångby				14.05		14.39
17 t	**Lund**		13.45	13.55	14.11		14.45
17 fr	**Lund**	13.19	13.47	13.56	14.12	14.43	14.46
22	Uppåkra	13.24			14.17		14.51
25	Åkarp	13.27			14.20		14.54
34	**Malmö C**	13.35	14.00	14.10	14.28	14.57	15.02

Malmö–Eslöv

	Malmö C	17.05	17.11	17.43	18.00	18.29	18.34
	Åkarp		17.19	17.51		18.37	
	Uppåkra		17.22	17.55		18.40	
t	**Lund**	17.17	17.27	18.01	18.11	18.45	18.48
fr	**Lund**	17.18	17.28	18.02	18.13	18.46	
	Stångby		17.33	18.07		18.51	
	Örtofta		17.37	18.11		18.55	
	Eslöv	17.29	17.45	18.20	18.24	19.03	

= till fr = från

1 När går första tåget från Lund? ______

2 När kommer det till Malmö? ______

3 När går första tåget från Eslöv? ______

4 När kommer det till Lund? ______

5 När måste du resa från Lund för att vara i Malmö klockan 15.02?

______

6 När måste du resa från Eslöv för att vara i Lund klockan 14.45?

______

7 När går första tåget från Malmö till Lund? ______

8 När kommer det till Lund? ______

9 När går första tåget från Lund till Eslöv? ______

0 När kommer det till Eslöv? ______

1 Hur många kilometer är det mellan Lund och Malmö? ______

Läsförståelse

1 Var arbetar Ingrid? ______

2 Vad är hon? ______

3 Vad gör Ingrid på bilden? ______

4 Hur gammal är Mats? ______

5 Vad blir Mats, när mamma kommer? ______

6 Vad gör Mats och Ingrid sedan? ______

7 Vad gör de i affären? ______

8 Vad gör de efter middagen? ______

9 Vem sitter barnvakt ibland? ______

10 Vad gör Mats på natten? ______

9

Obestämd och bestämd form

Exempel:

 en dam damen

7 

8 

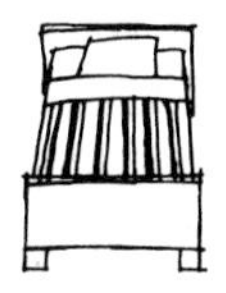

9  

10  

11  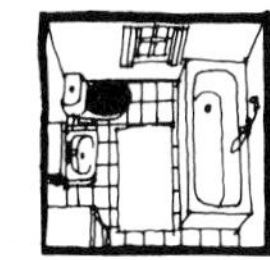

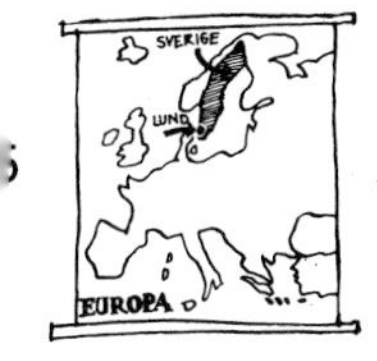

12  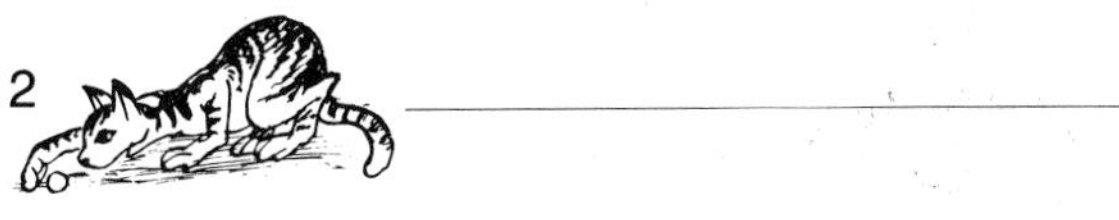

13  

▶

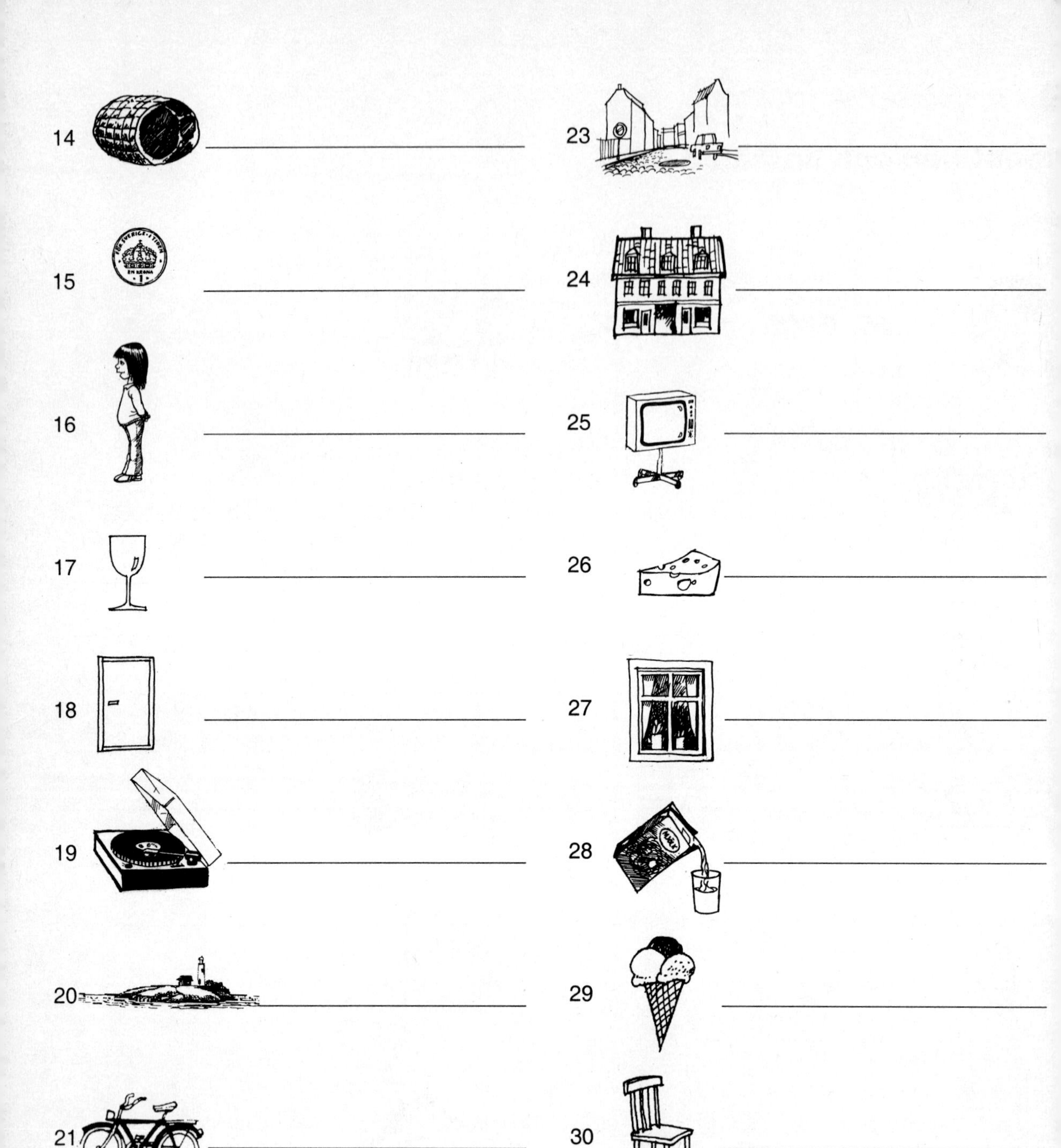
14
15
16
17
18
19
20
21
22
23
24
25
26
27
28
29
30
31

Skriv och berätta!

Sonja Bergström

en lägenhet	diskar	cyklar	hemifrån
ett kök	badar	åker buss	på hemvägen
en hall	lagar mat	handlar	hem
ett badrum	tittar på TV	lyssnar på musik	på förmiddagen
ett sovrum	äter	läser	på eftermiddagen
ett vardagsrum	sover	studerar vid universitetet	på kvällen
	studerar		

Berätta om Sonja Bergströms lägenhet, vad hon gör i den och vad hon gör, när hon går hemifrån!

10

Frågor och svar

Skriv frågor till svaren!

Exempel:

Vad är det här? Det är en karta över Lund.

______? Den heter Stockholm.

______? Det ligger i Europa.

______? Jag är från Lund.

______? Köpenhamn ligger i Danmark.

Mallorca? Det är en ö i Medelhavet.

Mälaren? Det är en sjö i Sverige.

______? Rom ligger i Italien.

______? Det är en lektion i geografi.

Vilken? vilket?

______ stad bor du i?

______ hus bor du i?

______ saga läser Ingrid?

______ tidning läser du?

______ klassrum har du?

______ land kommer du ifrån?

______ land bor du i?

______ skola går du i?

______ buss åker du?

______ varuhus handlar du på?

______ gata bor du på?

______ språk talar du?

Frågor och svar

Exempel:	Vad heter Sveriges huvudstad?	Sveriges huvudstad heter Stockholm.
	I vilket land ligger London?	London ligger i England.
	Varifrån kommer Paolo?	Han kommer från Italien.
1	Vad heter Finlands huvudstad?	
2	Varifrån kommer Carmen?	
3	I vilket land ligger Lissabon?	
4	Varifrån kommer John?	
5	Vad heter Turkiets huvudstad?	
6	I vilket land ligger Sofia?	
7	Varifrån kommer Milan?	
8	Vad heter Frankrikes huvudstad?	
9	I vilket land ligger Reykjavik?	
10	Vad heter Irlands huvudstad?	
11	Varifrån kommer Marek?	
12	I vilket land ligger Bonn?	
13	Vad heter Norges huvudstad?	
14	Varifrån kommer Dimitrios?	
15	Vad heter Rumäniens huvudstad?	
16	Varifrån är Miroslav?	
17	Varifrån kommer du?	
18	Vad heter huvudstaden i ditt land?	

11

Plural

A *Skriv orden i plural!*

Exempel:

en stol många stolar

1	en familj	många _______	16	en fru	många _______
2	ett barn	många _______	17	en pojke	många _______
3	en flicka	många _______	18	en lägenhet	många _______
4	ett hus	många _______	19	en gata	många _______
5	ett nummer	många _______	20	ett rum	många _______
6	ett kök	många _______	21	en hall	många _______
7	en balkong	många _______	22	en hund	många _______
8	en skola	många _______	23	en bil	många _______
9	en kiosk	många _______	24	en tidning	många _______
10	en buss	många _______	25	ett äpple	många _______
11	en lektion	många _______	26	en klocka	många _______
12	ett arbete	många _______	27	ett sjukhus	många _______
13	en vecka	många _______	28	en student	många _______
14	ett bord	många _______	29	en säng	många _______
15	en soffa	många _______	30	en fåtölj	många _______

lural

3 *Svara på frågorna!*

Exempel:

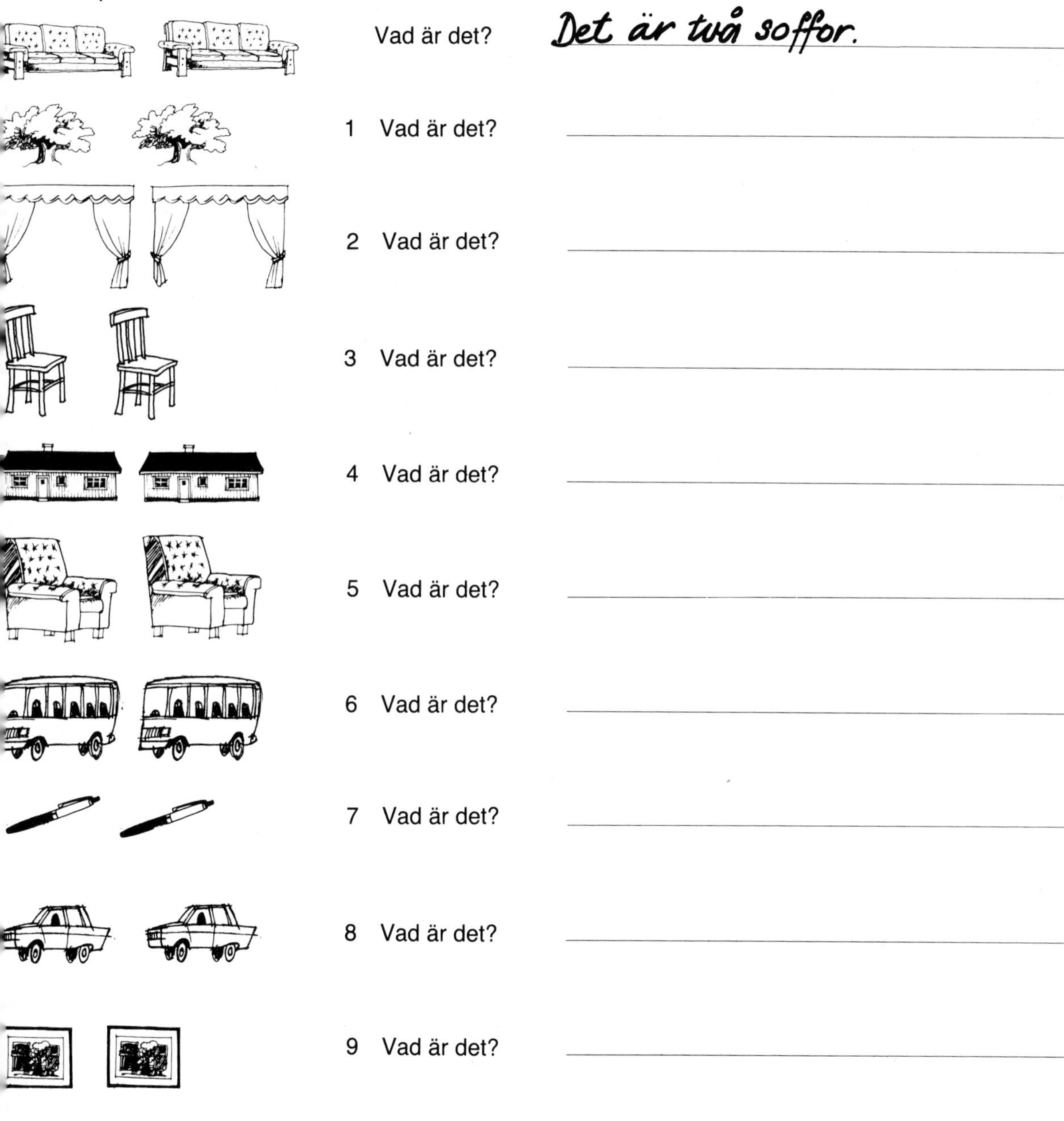

Vad är det? Det är två soffor.

1 Vad är det? ______________________

2 Vad är det? ______________________

3 Vad är det? ______________________

4 Vad är det? ______________________

5 Vad är det? ______________________

6 Vad är det? ______________________

7 Vad är det? ______________________

8 Vad är det? ______________________

9 Vad är det? ______________________

10 Vad är det? ______________________

Skriv och berätta!

Vad ser du i Kristinas och Monikas vardagsrum?

12

ossessiva pronomen

ör meningarna färdiga!

xempel:

Jag har en radio. Min _______ radio står på bordet.

1 Olle har en syster. _______ syster heter Karin.

2 Mamma har en tidning. Det är _______ tidning.

3 Vi har en hund. _______ hund heter Karo.

4 Eva har en man. _______ man heter Åke.

5 Kalle har en katt. _______ katt heter Misse.

6 Du och jag har ett rum. Det är _______ rum.

7 Jag och min fru har ett barn. Det är _______ barn.

8 Göran har en bil. _______ bil är stor.

9 De har en TV. _______ TV står i vardagsrummet.

0 Min syster heter Berit. _______ namn är Berit.

1 Vi bor i ett hus. _______ nummer är tolv.

2 Svea har en cykel. _______ cykel står på gatan.

3 Kristina och Monika har en våning. _______ våning är stor.

4 Ni har ett efternamn. Vad är _______ efternamn?

5 Vi har ett hus. _______ hus är bekvämt.

13

Possessiva pronomen

Skriv frågor och svar!

Exempel:

	jag/cykel	Vems cykel är det?	Det är min cykel.
1	han/katt	Vems katt är det?	______
2	ni/rum	______?	______
3	de/bil	______?	______
4	du/hund	______?	______
5	hon/bok	______?	______
6	vi/hus	______?	______
7	jag/skåp	______?	______
8	han/radio	______?	______
9	ni/bil	______?	______
10	han/fru	______?	______
11	hon/man	______?	______
12	vi/barn	______?	______
13	jag/kök	______?	______
14	de/katt	______?	______

djektiv

ad finns det på framsidan av vykortet?

Exempel: 2/röd/hus, 5/grön/träd, blå/bil

Det finns två röda hus, 5 gröna träd och en blå bil.

gammal/hotell, bred/gata, grön/träd

många/ny/hus, 3/gammal/bil, röd/cykel

blå/hav, många/liten/flicka, gammal/kvinna

3/bred/gata, många/stor/träd, ny/hotell

liten/barn, 6/grön/äpple, stor/ö

ad har Berit i sovrummet?

Exempel: bred/säng, 2/kort/matta, stor/skrivbord

Hon har en bred säng, två korta mattor och ett stort skrivbord.

gammal/fåtölj, bred/fönster, 2/bra/lampa

2/trevlig/tavla, liten/klocka, 2/blå/gardin

Tidsuttryck

Skriv med bokstäver!

A *Vilket år?*

Exempel:

1980	1789	1815
Nittonhundraåttio		
1914	1944	1935

B *Vilket datum?*

Exempel:

1/6	2/4	3/5
Den första i sjätte.		
7/10	9/8	13/11
27/12	30/6	18/7

C *Vilken dag?*

Exempel:

12/9 1981

Den tolfte september nittonhundraåttioett.

6/5 1947

3/9 1945

4/8 1956

onsdag/13/augusti/1978

måndag/8/december/1980

Ett vykort

A *Skriv ett vykort till Göran och Ulla Nilsson!*

en trevlig resa --- Stockholm --- litet, gammalt hotell --- stort, fint rum --- dåligt väder --- regnar --- god mat --- bra. --- hjärtliga hälsningar ---

Sverige

14

Adjektiv

Skriv meningarna färdigt!

Exempel:

Monika/sjuk Monika är sjuk.

1 barn/liten

2 Anna/ung

3 Åke och Eva/frisk

4 barn/sjuk

5 Ulla/pigg

6 Lena och Sven/trött

7 Torsten och Greta/gammal

8 barn/lätt

9 Erik/tung

10 tavla/vacker

11 äpple/hård

12 jag/nyfiken

13 Nilssons/glad

14 Berit och Kalle/förkyld

15 De/vuxen

Adjektiv och substantiv

Vad är det?

Exempel:

gammal — Det är två gamla stolar.

glad ______________________

2 vit ______________________

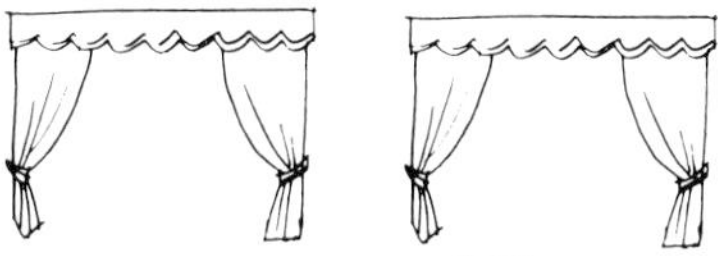

3 bra ______________________

4 trevlig ______________________

5 bekväm ______________________

6 dyr ______________________

7 liten ______________________

8 grå ______________________

9 billig ______________________

10 vacker

11 bred

12 röd

13 svart

14 brun

15 stor

16 fin

17 blå

18 dyr

19 gul

20 röd

21 intressant

kriv och berätta!

'ad ser du i Ingrids rum?

'ad gör Ingrid?

'arför arbetar hon inte?

15

Positioner

Exempel: Var står blomman? Den står i vasen.

1 Var ligger katten? ______

2 Var står Olle? ______

3 Var står Anna? ______

4 Var hänger lampan? ______

5 Var står stolen? ______

6 Var står vasen? ______

7 Vad gör katten? ______

8 Var står bordet? ______

Ordföljd

Skriv nya meningar! Börja med de kursiverade orden!

Exempel:

En matta ligger *på golvet.* På golvet ligger en matta.

1 En lampa står *på pianot.* ______________________

2 Hunden heter *Karo.* ______________________

3 Karin ligger *på golvet* och leker. ______________________

4 En karta hänger *till höger om dörren.* ______________________

5 Ett barskåp står *i hörnet.* ______________________

6 En tavla hänger *över soffan.* ______________________

7 I hörnet står *en golvlampa.* ______________________

8 En matta ligger *under bordet.* ______________________

9 I vasen står *en röd ros.* ______________________

10 Ett askfat står *på soffbordet.* ______________________

Positioner

Skriv meningarna färdigt!

Bo sitter ______________  vid ______________ 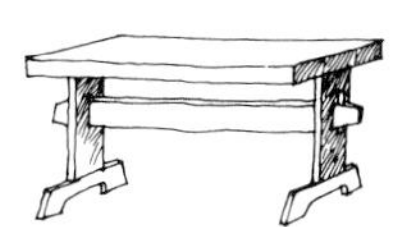 och äter.

Monika ______________  och ______________. 

Birgitta ______________________ och ______________________.

Erik ______________________ och ______________________.

Kalle spelar ______________________ Han har också ______________________.

I rummet finns ______________________. ______________________

hänger ______________________.

______________________ hänger ______________________.

På ______________________ står ______________________

och ______________________. Där ligger också ______________________.

______________________ ligger ______________________.

Eva har ______________________ och ______________________.

äsförståelse

1 Vilket rum ser du på bilden?

2 Vad gör familjen Svensson?

3 Var sitter Erik?

4 Var står Anna?

5 Var står bokhyllan?

6 Var står soffan?

7 Vad hänger på väggen till höger om dörren?

8 Vad ligger på golvet?

9 Vem ligger på golvet?

10 Var står TV:n?

16

Substantivens deklinationer

Exempel:

	en soffa	*soffan*	*soffor*	*sofforna*
1				
2				
3				
4				
5				
6				
7				
8				

) ________ ________ ________ ________

1 ________ ________ ________ ________

2 ________ ________ ________ ________

3 ________ ________ ________ ________

4 ________ ________ ________ ________

5 ________ ________ ________ ________

ubstantiv och pronomen

kriv substantiv och pronomen!

xempel: 2/pojke Vad heter pojkarna? De heter Bo och Ulf.

1 5/blomma Var är ________? ________ står i vasen.

2 1/flicka Vad heter ________? ________ heter Anna.

3 7/bil Var står ________? ________ står på gatan.

4 1/hus Var finns ________? ______ finns i Lund.

5 10/äpple Vad kostar ________? ______ kostar 6 kronor.

6 2/bok Var står ________? ______ står på hyllan.

7 4/rum Var finns ________? ______ finns i huset.

8 1/piano Var står ________? ______ står i vardagsrummet.

9 1/tidning Vad kostar ________? ______ kostar 3 kronor.

10 2/barn Var är ________? ______ är i skolan.

11 1/man Vad heter ________? ______ heter Göran.

12 6/buss Var står ________? ______ står på busshållplatsen.

13 1/stad Var ligger ________? ______ ligger i Sverige.

14 2/cykel Vems är ________? ______ är Olles och Kalles.

15 4/lärare Var arbetar ________? ______ arbetar i skolan.

Hur mycket kostar...?

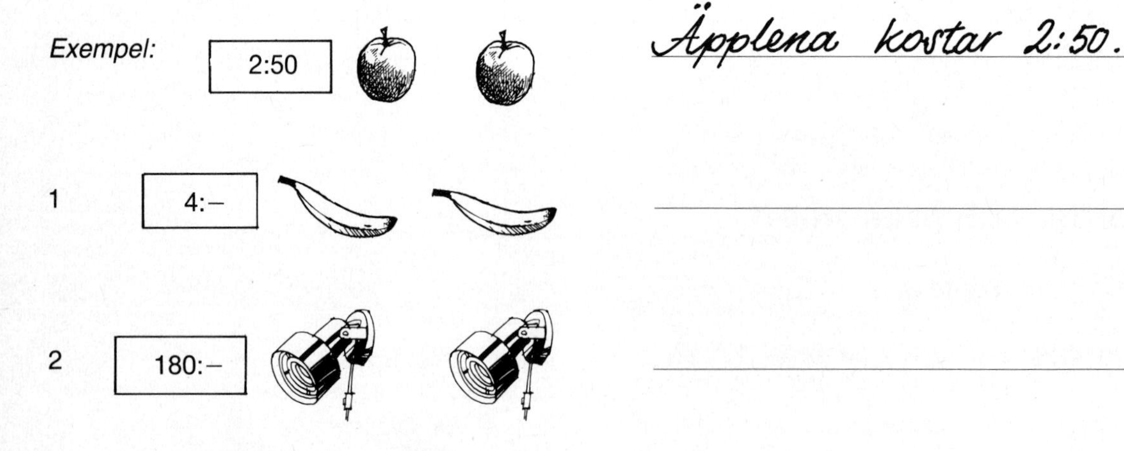

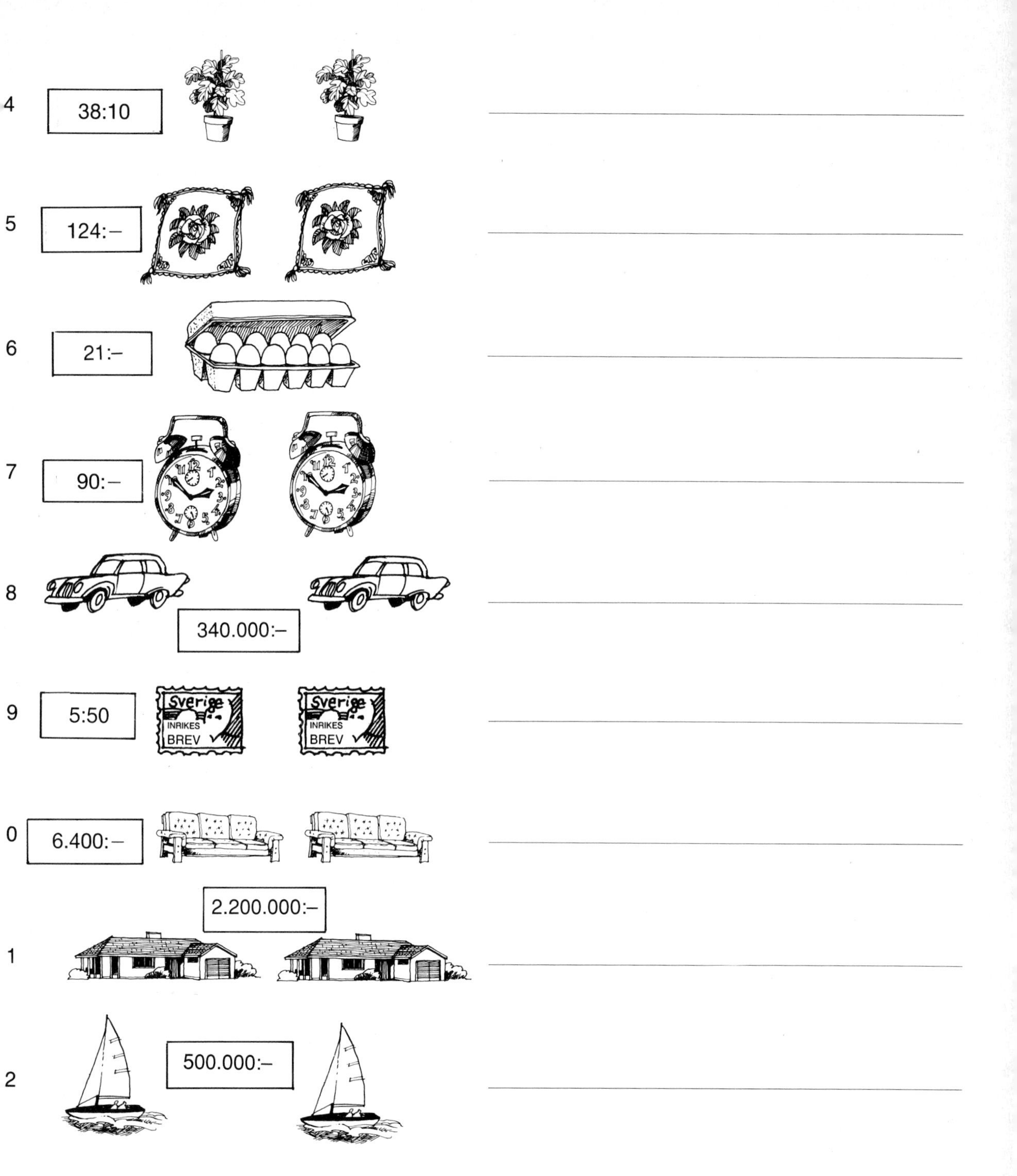
4
38:10
5
124:–
6
21:–
7
90:–
8
340.000:–
9
5:50
Sverige
INRIKES
BREV
Sverige
INRIKES
BREV
0
6.400:–
2.200.000:–
1
500.000:–
2

Befintlighet och riktning

Skriv rätt ord!

Exempel:

här/hit	Eva kommer ___hit___.
hemma/hem	Eva är inte ______________, hon är på bio.
	Ulla promenerar ______________ från affären.
	Mats ligger ______________ i sängen och sover.
borta/bort	Åke reser ______________ till Stockholm.
	Olle cyklar ______________ till skolan.
	Barnen är ______________ på lekplatsen.
här/hit	Jag sitter ______________ och läser.
	Birgitta kommer ______________ i morgon.
	______________ ligger mattan.
där/dit	Erik arbetar i Malmö. Han kör ______________ varje dag.
	Men nu är han inte ______________.
	Han står ______________ borta och väntar.
hemma/hemifrån	Erik kör ______________ klockan sju.
	Han är inte ______________ förrän klockan fem.
	Ulla promenerar ______________ från affären.
hem/bort/dit	Göran går ______________ till kiosken.
	Mats kommer ______________ från dagis.
	Kalle är i skolan. Han cyklar ______________.

7

ad gör de?

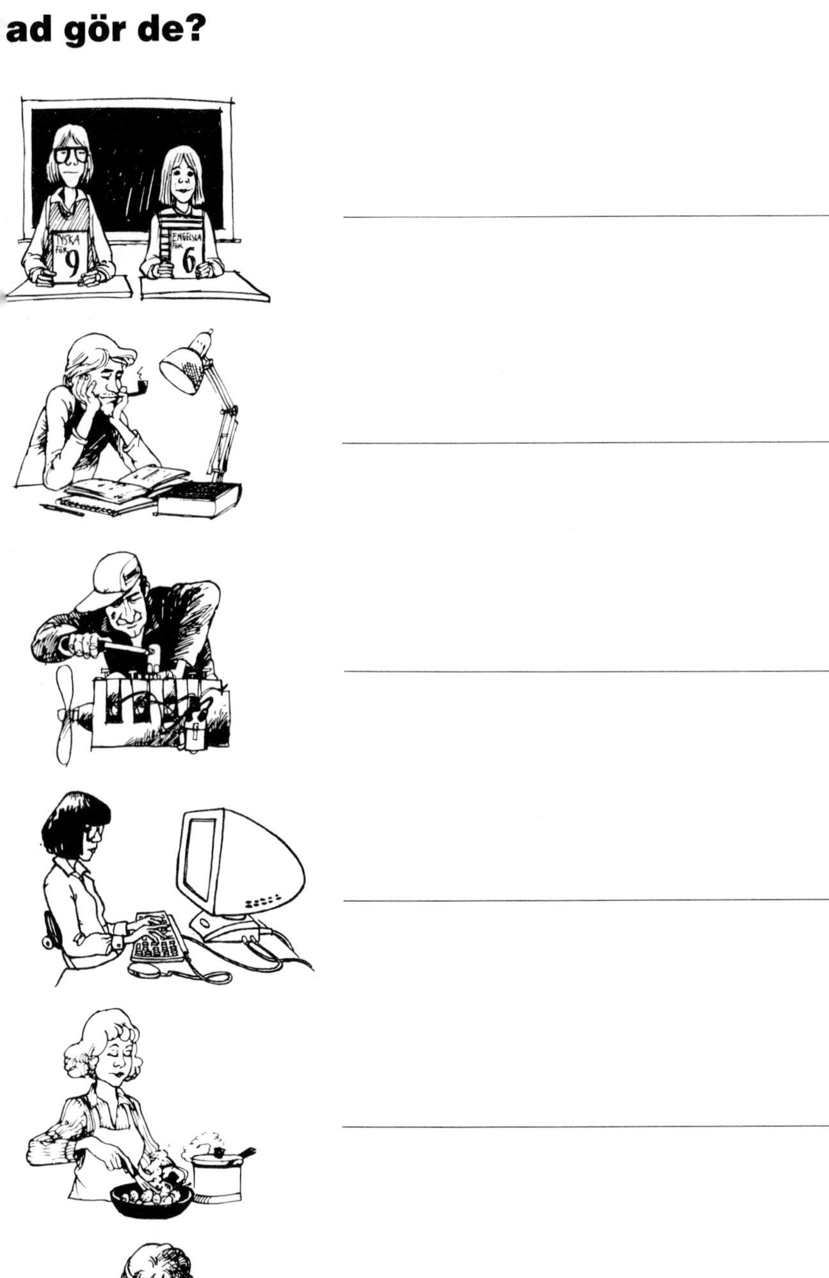

7  ______________________________

8  ______________________________

9  ______________________________

10  ______________________________

11 ______________________________

12  ______________________________

Varför ... ? ... för ...

Exempel: Varför sjunger Karin? (Hon är glad.)

Karin sjunger för hon är glad.

1 Varför ligger Eva i sängen? (Hon är sjuk.)

2 Varför går Karin inte i skolan? (Hon är bara två år.)

3 Varför har inte Ingrid någon bil? (Hon har inget körkort.)

4 Varför stiger Göran upp tidigt? (Han börjar arbeta klockan sju.)

5 Varför kommer Bo för sent? (Han hinner inte med bussen.)

6 Varför kör Erik Svensson till Malmö varje vardag?

7 Varför går Birgitta till en livsmedelsaffär?

8 Varför känner Berit och Mats varandra väl?

9 Varför arbetar Kalle Nilsson inte?

10 Varför är Olle inte hemma i text 15?

En bildberättelse

Skriv en berättelse med hjälp av bilderna!

Adjektiv och substantiv

Exempel: intressant – arbete ett intressant arbete – två intressanta arbeten

1 lång film
2 röd äpple
3 vacker flicka
4 bred gata
5 hög hus
6 mogen banan
7 skild kvinna
8 intressant tidning
9 blå frimärke
10 liten stad

Substantiv och adjektiv

Exempel: arbete – intressant Arbetet är intressant. Arbetena är intressanta.

1 träd – grön
2 företag – stor
3 bil – bra
4 buss – försenad
5 soffa – bekväm
6 väg – kort
7 förälder – gammal
8 kontor – liten
9 flicka – blond
10 piano – gammal

18

Frågor och svar

Exempel:

Har du en bil? Ja, det har jag.

1 Bor du i Lund? ______

2 Läser Bo inte engelska? ______

3 Är det vackert väder idag? ______

4 Talar Kalle svenska? ______

5 Har Svenssons en lägenhet? ______

6 Arbetar Eva på posten? ______

7 Är Bo gift? ______

8 Är maten inte dyr? ______

9 Har Bo bil? ______

10 Stiger Eva upp tidigt? ______

11 Sover Berit? ______

12 Kör Göran bil till arbetet? ______

13 Har Kalle inte en katt? ______

14 Kan Monika tala lite italienska? ______

15 Arbetar Eva inte i Lund? ______

Ett samtal i affären

Ulla Nilsson är i affären och handlar. Där träffar hon Birgitta Svensson. De stannar och pratar en stund.

Ulla: ____________ Birgitta. Hur ____________ ni det? (hej, har)

Birgitta: ____________ bra. Och ____________ då? (bara, ni)

Ulla: ____________ fint. (bara)

Birgitta: ____________ du inte idag? (arbeta)

Ulla: Nej. ____________ ____________ ledig ____________. (jag, vara, idag)

Birgitta: ____________ ____________? (cykla, du)

Ulla: Nej, ____________ ____________. Det ____________ så ____________ ____________. (jag, gå, vara, vacker, väder)

Birgitta: Ja, ____________ ____________ verkligen ____________ idag. (väder, vara, fin)

Ulla: Nej, ____________ ____________ ____________. Hej, då. (klocka, vara mycket)

Birgitta: ____________ ____________ ____________ ____________. Vi ses. (…a, det, vara, den)

Geografi

Titta i läroboken på sidan 218–219!

Vad heter länderna?
Vem bor där?
Vilket språk talar de?

1	Sverige	svenskar	svenska
2			
3			
4			
5			
6			
7			

8
9
10
11
12
13
14
15
16
17
18
19
20
21
22
23
24
25
26
27
28
29
30
31
32
33
34
35

19

Vad ska de göra?

Exempel:

Åke/arbeta/i morgon — *Åke ska arbeta i morgon.*

1 Berit/gå till skolan/klockan åtta ______

2 Birgitta/handla/mat/i eftermiddag ______

3 Erik/se fotbollsmatch/i kväll ______

4 Sven/flyga/till Rom/på torsdag ______

5 Ulla/arbeta/klockan nio ______

6 Monika/gå på diskotek/i kväll ______

7 Sven/börja arbeta/klockan sex ______

8 Bo/skriva ett test/nästa vecka ______

9 Ingrid/hämta Mats/klockan sex ______

10 Bo/studera historia/nästa år ______

11 Eva/resa till Stockholm/nästa månad ______

12 Kalle/stiga upp/klockan sju ______

13 Berit/gå på bio/på lördag kväll ______

14 Jag/______/______ ______

ilken? – vad... för (en)?
ilket? – vad... för (ett)?
ilka? – vad... för (några)?
'ad är det (för något)?

:xempel:

Vad är det för en bil? ______ Det är en SAAB.

1 ______ Det är läroböcker.

2 ______ Det är en katt.

3 ______ Det är en svensk bil.

4 ______ Det är ett nytt varuhus.

5 ______ Det är en soffa och en fåtölj.

6 ______ Det är en modern japansk radio.

7 ______ Det är en gammal fransk bil.

8 ______ Det är ett sovrum.

9 ______ Det är familjen Nilssons barn.

0 ______ Det är nya, fina möbler.

1 ______ Det är kroatiska.

2 ______ Det är Eva och Åke Hellström.

3 ______ Det är familjen Svenssons hund.

4 ______ Det är en ny skola.

5 ______ Det är svenska och engelska.

6 ______ Det är korv och potatis.

7 ______ Det är lördag.

20

Tillåtet och förbjudet

Exempel:

Vad får du inte göra? Jag får inte vända på gatan.

1 

Vad måste du göra? ______________________

2 

Vad kan du göra här? ______________________

3 

Vad får du inte göra? ______________________

4 

Vad måste du göra? ______________________

5 

Vad kan du göra här? ______________________

6 

Vad får du inte göra? ______________________

Vad får du inte göra? ______________________________

xempel:

Vad _kan_ de göra här?

De kan gå här.

P 8-18

Vad ________ ________ ________?

____

Vad ________ ________ ________ ________?

____

Vad ________ ________ ________?

____

Vad ________ ________ ________ ________?

____

Vad ________ ________ ________ ________?

____

Vad ________ ________ ________ ________?

____

Yrken

Vilket yrke har de? Vad gör de? Var arbetar de? Titta på sidan 217 i läroboken!

Exempel:

Hon är kassörska och sköter kassan på ett varuhus.

1

2

3

4

5

6

7

8

9

10

▶

11

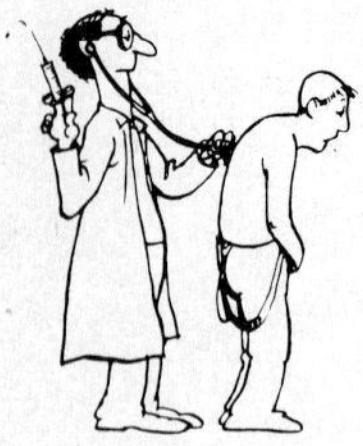

12

13

14

Frågor och svar

Exempel: Kan Kalle tala svenska? Ja, det kan han.

1 Vill Eva gå på bio? Ja, ______

2 Får Karin köra bil? Nej, ______

3 Kan Jasna tala svenska? Ja, ______

4 Måste du gå hem nu? Nej, ______

5 Behöver du hjälp? Nej, ______

6 Ska du gå på bio i kväll? Ja, ______

7 Vill Ulla vara hemmafru? Nej, ______

8 Ska Bo läsa i kväll? Nej, ______

9 Får vi röka här? Nej, ______

10 Kan du tala japanska? Nej, ______

11 Måste du verkligen röka nu? Ja, ______

Genitiv + adjektiv + substantiv

Exempel: Eva/röd/kappa — Evas röda kappa hänger i skåpet.

1 Kalle/ny/cykel — På gatan står ______

2 barnen/smutsig/kläder — Mamma tvättar ______

3 familjen/liten/barn — ______ är sjuka.

4 biblioteket/gammal/bok — ______ är inte intressanta.

5 affären/vacker/möbel — ______ är dyra.

6 skolan/dålig/elev — Lärarna hjälper alla ______

7 vardagsrummet/ny/gardin — ______ är blåa.

8 mamma/god/kaka — Familjen tycker om alla ______

9 Bo/intressant/bok — Monika vill låna ______

21

Hur är vädret idag?

norra Sverige

nordvästra Sverige — nordöstra Sverige

västra Sverige — centrala Sverige — östra Sverige

sydvästra Sverige — sydöstra Sverige

södra Sverige

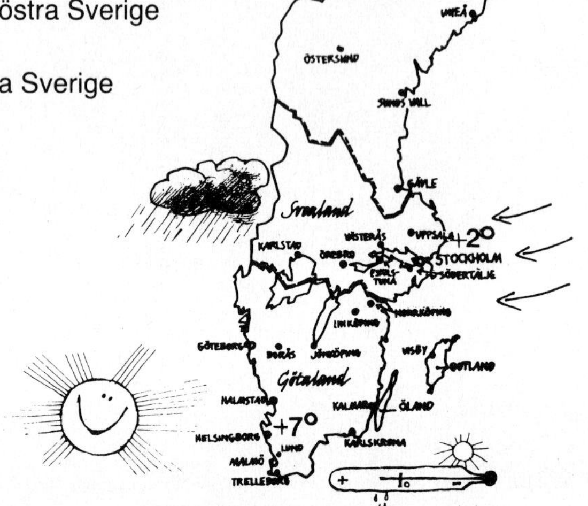

nordlig vind

västlig vind — ostlig vind

sydlig vind

Exempel: Hur många grader är det i norra Sverige? Det är minus fem grader.

1 Var blåser det? ______________________

2 Hur är vädret i södra Sverige? ______________________

____

____

3 Var regnar det? ______________________

4 Vilken vind är det i norra Sverige? ______________________

5 Hur är vädret idag? ______________________

____

____

Väder

Exempel: ett moln
Vad gör ?
Vad gör ?
Hur är vädret?
Hur är vädret?
Det är vackert väder.
Det är dåligt väder.
igår
idag
Det var kallt igår.
i tisdags
nu
i förrgår
BULLER
i söndags
idag
i fredags

Imperfekt

Skriv vad de gjorde!

Exempel:

Åke/arbeta/igår — Åke arbetade igår.

1 Berit/gå/skolan/klockan åtta i morse ______

2 Birgitta/handla mat/i förrgår ______

3 Göran/arbeta/i förrgår ______

4 Berit/vara på bio/i torsdags ______

5 Svenssons/resa till Stockholm/i fjol ______

6 Väder/vara vacker/i förra veckan ______

7 Ingrid/tvätta/igår eftermiddag ______

8 Svea/titta på TV/igår kväll ______

9 Kjell/ringa till Berit/i förrgår kväll ______

10 Göran/köpa en tidning/i förrgår kväll ______

11 Ingrid/äta frukost/i morse ______

12 Anna/komma hem/för...sedan/en timme ______

13 Mats/vara sjuk/för...sedan/en halvtimme ______

14 Jag/börja/studera svenska/för...sedan/??? ______

22

Presens och imperfekt

A Skriv texten i boken i presens!

Idag är det tisdag. Fru Falk

B Skriv text 16 i läroboken i imperfekt!

Kristina Sandberg gick på en kvällskurs i italienska.

Eleverna

C *Vad gjorde du i torsdags? Berätta!*

Verbformer

Fyll i rätt form av verbet!

å	Åke och Eva ska ___gå___ på bio i kväll.
	De ______________ inte på bio förra veckan.
etala	Fru Falk ______________ maten, när hon kom till kassan.
	Kan du ______________ för alla?
öpa	Olle ______________ en tidning igår.
	Måste du ______________ så mycket mat?
e	Sofia ______________ inte så bra utan glasögon.
	______________ du TV-programmet igår kväll?
rbeta	Torsten ______________ inte nu.
	Nils ______________ på Posten förra året.
a	Ingrid ______________ ingen villa.
	Eva ______________ influensa i förra veckan.
tälla	Kristina ______________ ut blommorna på balkongen igår.
	Du kan ______________ väskan där.
o	Var ______________ du?
	Vill du ______________ i ett höghus?
ada	Barnen brukar ______________ på sommaren.
	Förra sommaren ______________ de särskilt mycket.
inna	______________ du till arbetet i morse?
	Det är svårt att ______________ med allt.
å hem	Jag måste ______________ tidigt idag.
	Igår ______________ jag hem redan klockan tre.

23

Adjektiv och substantiv

A Svara på frågorna!

Vad får Kalle av mamma och pappa?

Han får *ett* *vitt* *kuvert*
vit kuvert

Vad får Kalle av morfar och mormor?

Han får ______ ______ ______ ______
stor brun paket

Vad får Kalle av Berit?

Han får ______ ______ ______ ______
lång grön paket

Vad finns det i ______ ______ ______?
det vit kuvert

Det finns ______ ______ i det.
1500 krona

Vad finns det i ______ ______ ______ ______?
det stor brun paket

Det finns en hjälm.

Vad finns det i ______ ______ ______ ______?
det lång grön paket

Det finns ______ ______ ______ ______
par varm handske

B Skriv rätt form av adjektivet och substantivet!

I rummet finns det ______ ______ ______,
en/ett brun golv

________ ________ ________, ________ ________
en/ett randig matta en/ett vit

________, ________ ________ ________, ________
bord en/ett blå duk en/ett

________ ________ och ________ ________ ________
gul vas en/ett vacker blomma

Var ligger ________ ________ ________?
den/det randig matta

________ ________ ________ ligger på ________
den/det randig matta den/det

________ ________
brun golv

Var ligger ________ ________ ________?
den/det blå duk

________ ________ ________ ligger på ________ ________
den/det blå duk den/det vit

____
bord

________ ________ ________ står på ________ ________
den gul vas den blå

________.
duk

Två ________ ________ sitter på ________ ________
svart katt två grön

________, som står på ________ ________ ________.
stol två gul matta

Var står ________ ________ ________?
de grön stol

________ ________ ________ står på ________ ________
de grön stol de gul

________.
matta

24

Personliga pronomen

A Skriv objektformer!

Exempel:

Åke träffar Eva. Han träffar henne.

1 Olle ser Karin. ______

2 Mamma leker med barnet. ______

3 Erik kör bilen. ______

4 Göran tar en bild av Berit. ______

5 Kalle och Berit sitter i soffan. ______

6 Erik fotograferar med kameran. ______

7 Du och Monika bor i huset. ______

8 Olle leker med hunden. ______

9 Mamma lagar mat till pappa. ______

10 Kalle leker med katten. ______

B Skriv meningarna färdigt.

Exempel:

Bilen står på gatan. Den står ______ på gatan.

1 Åke och Eva sitter i köket. ______ i köket.

2 Två träd står bakom huset. Två träd står ______

3 Bordet står framför soffan. ______ framför soffan.

4 Över sängen hänger en tavla. ______________________ en tavla.

5 Eva står på mattan. ______________________

6 Erik tar en bild av familjen. ______________________

7 Ulla får pengar av Göran. __________ pengar __________

8 Du och jag bor i Lund. ______________________ i Lund.

9 Han och du bor på Storgatan. ______________________ på Storgatan.

10 Åke och du talar med Göran och Ulla. ______________________

repositioner

xempel:

Eva bor __i__ Lund.

1 Nilssons har en lägenhet ______ tre rum och kök.

2 Erik arbetar ______ en bilverkstad ______ Malmö.

3 Det är bekvämt ______ en barnfamilj att bo ______ bottenvåningen.

4 Berit promenerar ______ skolan på morgonen.

5 Ulla är expedit ______ ett varuhus.

6 Klockan är halv åtta ______ morgonen.

7 Birgitta lägger varor ______ varukorgen.

8 Hon får tillbaka 41:40 ______ expediten.

9 Mamma dukar av ______ middagen.

0 Mats är ______ ett daghem.

1 Bo studerar ______ förmiddagen. ▶

12 Han har fin utsikt _________ staden _________ fönstret i vardagsrummet.

13 Han sitter och studerar _________ skrivbordet.

14 Jasna tittar på en karta _________ Europa.

15 London ligger _________ England.

16 Jasna är duktig _________ geografi.

17 Två kuddar ligger _________ Monikas säng.

18 Ulla är gift _________ Göran.

19 Monika arbetar _________ klockan åtta _________ klockan fem.

20 Anna dansar balett två kvällar _________ veckan.

21 Karin lyssnar _________ musik.

22 Hellströms bor _________ tredje våningen _________ huset _________ Storgatan 12.

23 Åke ska gå _________ tandläkaren på torsdag.

24 Skrivbordet står till höger _________ bokhyllan.

25 Evas föräldrar är _________ Palma _________ ön Mallorca _________ semestern.

26 Ingrid cyklar hem _________ Mats bak _________ cykeln.

27 Birgitta går _________ _________ affären och handlar.

28 Kalle går _________ skolan _________ årskurs nio.

29 Mamma dukar _________ maten och dukar _________ _________ maten.

30 Sängen står _________ hörnet _________ rummet.

31 Olle sitter _________ TV:n och tittar _________ ett sportprogram.

32 Birgitta köper damtidningar _________ artiklar _________ kläder.

33 Bokhyllan står _________ höger _________ pianot.

34 Bo lagar mat _________ spisen äter _________ matbordet _________ köket.

25

rdföljd

acera in "inte" i meningarna.

1 Åke tvättar sig idag. ______________________

2 Bo lär sig tyska. ______________________

3 Anna klär på sig själv. ______________________

4 Ska du skynda dig? ______________________

5 Tar han av sig pyjamasen innan han duschar? ______________________

____

6 Kammade du dig i morse? ______________________

7 I morse skyndade han sig. ______________________

8 Varför sätter du dig? ______________________

9 Kalle vill lära sig engelska. ______________________

0 Karin vill skynda sig. ______________________

1 Vi lär oss mycket. ______________________

2 Vill du ha en kopp kaffe? ______________________

eflexiva pronomen

Fyll i rätt pronomen!

Jag tvättar mig.

(du) Du tvättar dig. (vi) ______________________

(de) ______________________ (han) ______________________ ▶

De klär på sig.

(jag) ______________________ (hon) ______________________

(ni) ______________________ (du) ______________________

Jag lär mig svenska.

(vi) ______________________ (han) ______________________

(du) ______________________ (de) ______________________

B *Fyll i rätt pronomen!*

Bo lär *Bo* engelska. Han lär sig engelska.

Birgitta tvättar *Karin.* ______________________

Barnen tvättar *barnen*. ______________________

Greta ser *Anna* på gatan. ______________________

Olle tar av *Olle* skorna. ______________________

Ulla lär *Ulla* tyska. ______________________

Siv och Bo lär *Karin* och *Olle* laga mat. ______________________

Eva lär *barnen* samhällskunskap. ______________________

Ingrid sätter *Mats* bak på cykeln. ______________________

Mamma tar av *barnen* kläderna. ______________________

Barnen tar av *barnen* kläderna. ______________________

Ingrid sätter *Ingrid* på cykeln. ______________________

Milan och Maria lär *Milan* och *Maria* svenska. ______________________

Jasna lär *Jasna* geografi. ______________________

En bildberättelse

Skriv en berättelse med hjälp av bilderna!

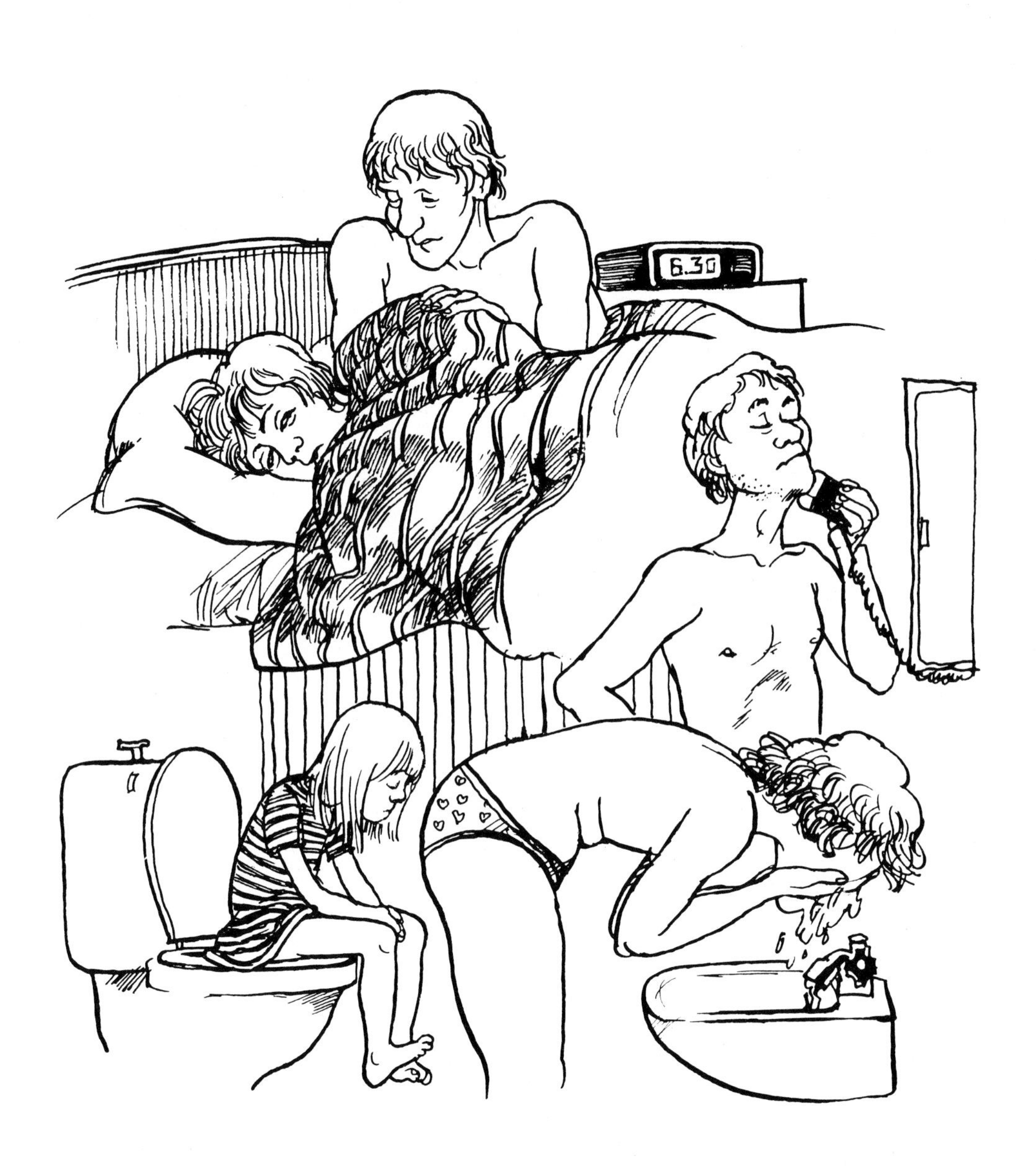

Reflexiva verb

Skriv rätt form av de reflexiva verben i meningarna!

Exempel: Det är bra *att lära sig* mycket svenska.
(lära sig)

1 Peter ________________ pyjamasen innan han ________________ på kvällen.
(ta på sig) (lägga sig)

2 Pappa ________________________________ klockan sju varje morgon.
(ge sig iväg)

3 Förra året ________________________________ mycket franska i Paris.
(Eva/lära sig)

4 Mannen ____________________________ arbetskläderna, när han kom hem.
(ta av sig)

5 När ____?
(ni/bruka/tvätta sig)

6 Föräldrarna tycker inte att ____________________________ mycket i skolan.
(barnen/lära sig)

7 Klockan är mycket men vi hinner om ____________________________.
(vi/skynda sig)

8 Lena ________________________________ nya kläder, innan hon gick ut.
(ta på sig)

9 "________________________________ igår kväll?", frågade mamma barnen.
(ni/tvätta sig)

10 Så fort vi var färdiga ________________________________ hem.
(vi/ge sig iväg)

11 När ____ i morgon?
(du/ge sig iväg)

12 Det började regna så ____________________________ så mycket jag kunde.
(jag/skynda sig)

13 Efter duschen ____________________________ på en handduk varje morgon.
(vi/torka sig)

14 Det är kallt idag, så ____________________________ varma kläder.
(ni/måste/ta på sig)

26

Imperativ

Exempel: *Vad säger de:*

Birgitta vill att barnen ska duka. Duka!

1 Kristina vill att Monika ska gå och handla. ______

2 Ingrid tycker att Mats ska klä sig. ______

3 Erik tycker att Birgitta ska baka bröd. ______

4 Åke vill inte att Eva ska bli sjuk. ______

5 Erik tycker att Milan ska flytta in. ______

6 Kalle vill inte att Måns ska sitta på bordet. ______

7 Åke tycker att Eva ska koppla av. ______

8 Birgitta vill inte att barnen leker på gatan. ______

9 Eva vill att barnen ska lära sig läxan. ______

10 Milan tycker att Maria ska diska. ______

11 Torsten vill att Greta ska köpa två liter mjölk. ______

12 Mamma tycker att barnen ska tvätta sig. ______

13 Birgitta tycker att alla ska bädda sängen själv. ______

14 Läraren vill att barnen ska skynda sig. ______

15 Birgitta tycker att Erik klistrar in för många foton. ______

16 Ingrid vill att Mats ska klä på sig. ______

17 Eva vill inte att Åke ska bli sjuk. ______

18 Ulla vill inte att Göran ska komma för sent. ______

27

Imperativ

A *Exempel:* *Vad säger de?*

Ulla vill att Kalle ska bädda sängen. Bädda sängen!

1 Eva vill inte att Åke ska resa till Stockholm. ______

2 Greta vill att Torsten ska ringa efter en taxi. ______

3 Ingrid tycker att Mats ska tvätta sig nu. ______

4 Lena vill inte att Sven ska ligga och sova. ______

5 Sven vill att Lena ska lägga tidningen på bordet. ______

6 Birgitta tycker inte att Erik ska parkera på gatan. ______

7 Berit vill att Kjell ska ringa ikväll. ______

8 Läraren vill att Kristina ska berätta om Italien. ______

9 Eva vill inte att barnen pratar så mycket. ______

10 Ulla tycker att barnen ska borsta tänderna. ______

B *Exempel:*

Mats vill att Ingrid ska berätta en saga för honom.

Han säger: Berätta en saga för mig!

1 Bo tycker att Monika ska dansa med honom.

Han säger: ______

2 Anna vill att mamma ska låna henne tidningen.

Hon säger: ______

3 Berit tycker att Kjell ska hämta henne efter skolan.

Hon säger: ____

4 Sven tycker att Lena ska ge honom en kopp te.

Han säger: ____

5 Anna vill att Birgitta ska sy kläder till henne.

Hon säger: ____

6 Bo vill att Monika ska hälsa på honom på lördag.

Han säger: ____

7 Olle och Anna vill att Erik ska fotografera dem.

De säger: ____

8 Eva vill att Åke ska hjälpa henne.

Hon säger: ____

9 Kjell vill att Berit ska ringa till honom i morgon.

Han säger: ____

10 Kalle vill inte att Måns ska äta hans smörgås.

Han säger: ____

11 Mamma vill att barnen ska gå och lägga sig.

Hon säger: ____

12 Föräldrarna vill inte att barnen ska komma för sent till skolan.

De säger: ____

13 Åke vill att Eva ska skynda sig hem efter arbetet.

Han säger: ____

Riktning och befintlighet

Exempel:

	bort/borta	Åke reser bort
1	hem/hemma	Berit Nilsson bor ______
2	in/inne	Milan ska flytta ______ i huset.
3	upp/uppe	Ingrid bor ______ på fjärde våningen.
4	bort/borta	Åke är ______ i Stockholm.
5	dit/där	Bilen står ______
6	ut/ute	Bo ska gå ______ och promenera.
7	in/inne	Lena går ______ i lägenheten.
8	dit/där	Eva ska ge sig iväg ______
9	ner/nere	Sven och Lena bor ______ på första våningen.
10	hit/här	Eva hämtar ______ böckerna.
11	in/inne	Kläderna hänger ______ i garderoben.
12	ut/ute	Anna är ______ och leker.
13	upp/uppe	Svea går ______ för trappan.
14	dit/där	Kalle cyklar ______
15	in/inne	Erik sitter ______ i vardagsrummet.
16	hem/hemma	Birgitta arbetar ______ i köket.
17	hit/här	Berit sitter ______ och läser.
18	dit/där	Kalle cyklar ______
19	hem/hemma	Bo bjuder ______ Monica.
20	hit/här	Måns vill inte komma ______

kiljetecken

kriv rätt skiljetecken och stor bokstav!

xempel:

va frågar åke vill du hjälpa mig

Eva frågar Åke: "Vill du hjälpa mig?"

n försäljare ringer på erik svenssons dörr hans fru ulla går och öppnar försäljaren säger goddag goddag r damen kanske intresserad av vår nya symaskin den är mycket fin och väldigt billig nej tack svarar ulla g har redan en jaså adjö då säger försäljaren och går vidare

28

Ordföljd

Börja med det kursiverade ordet!

I huset på Storgatan 12 finns *det* tre djur.

Det finns tre djur i huset på Storgatan 12.

1 Svea Lindberg, som är änka, bor *på fjärde våningen.*

2 Måns ligger *för det mesta* i soffan i vardagsrummet och sover.

3 Eleven förstod *till slut* vad läraren sade.

4 Det är *så vackert väder* idag.

5 Svea frågar: *"Vill du ha mat?"*

Det finns/Finns det...?

Skriv meningarna färdigt!

Exempel:

bil/gatan

Det finns en bil på gatan.

kök/lägenheten?

Finns det ett kök i lägenheten

film/kameran?

2 glas/skåpet?

matbord/köket

4 säng/sovrummet

hund/huset

6 frimärke/kortet?

Så att

Gör de två satserna till en enligt exemplet!

Exempel: Svea städar våningen. Den blir ren. Svea städar våningen, så att den blir ren.

Berit vill ta körkort. Hon får köra bil.

Svea öppnar fönstret. Hon ska få lite frisk luft.

Ulla städar lägenheten. Den ska bli fin.

Anna åker buss. Hon ska komma i tid.

Elin och Karl skriver ett vykort till Eva. Hon ska veta var de bor.

Läraren talar sakta. Alla förstår.

29

Imperfekt och perfekt

Gör en mening av orden till vänster!
Använd imperfekt eller perfekt.

Exempel:

	jag/läsa/tidningen/idag	Jag har läst tidningen idag.
	Ulla/skriva/brev/igår	Ulla skrev ett brev igår.
1	Bo/vara på bio/i går kväll	
2	Eva och Åke/vara gifta/ett år	
3	De/gifta sig/för ett år sedan	
4	Bo/studera engelska/i ett år	
5	Kristina/vara sjuk/i måndags	
6	Olle/bada/en gång/i juli	
7	Svenssons/ha hund/i två år	
8	Carmen/studera svenska/i en månad	
9	Torsten/köpa ny cykel/i förra veckan	
10	jag/läsa/en bra bok	
11	Svea/titta på TV/i går kväll	
12	Greta/vara i Paris/aldrig	
13	Förra veckan/Olle/resa/till Stockholm	
14	Sommaren/vara/varm/i år	
15	Nu/jag/göra/en övning	

Skriv och berätta!

Familjen Svensson sitter vid middagsbordet och talar om vad de har gjort idag. Skriv en liten uppsats om

Familjen Svenssons dag.

30

Både...och/varken...eller

Gör de två satserna till en enligt exemplet!

Exempel: Berit dricker inte kaffe. Kalle dricker inte heller kaffe.

Varken Berit eller Kalle dricker kaffe.

1 Berit går i skolan. Anna går också i skolan.

2 Erik går inte i skolan. Göran går inte heller i skolan.

3 Anna spelar inte trumpet. Anna spelar inte piano.

4 Anna läser historia och geografi i skolan.

5 Ulla talar inte engelska och inte tyska.

6 Torsten promenerar. Greta promenerar också.

7 Ulla lagar mat på förmiddagen och på eftermiddagen.

8 Karin har inte bil. Hon har inte cykel.

9 Eva bor på Storgatan 12. Greta bor också där.

Perfekt

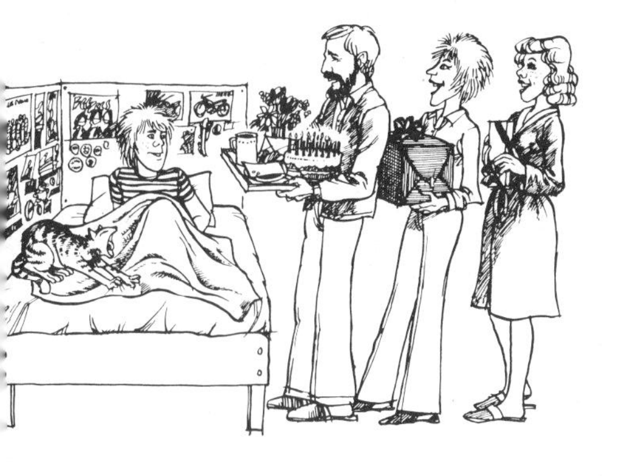

1 Vad har Göran, Ulla och Berit gjort, innan de går in till Kalle för att gratulera honom?

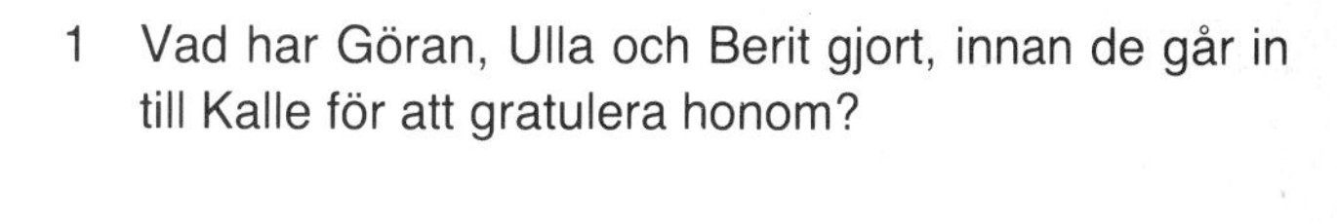

2 Vad har Erik gjort, innan han tar bilder på familjen?

3 Vad har hänt i trappuppgången?

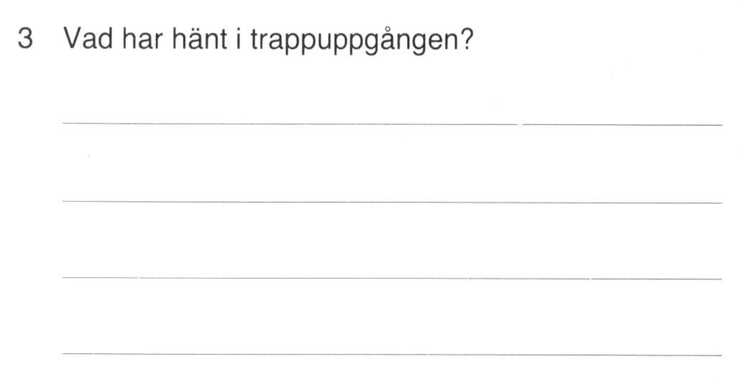

4 Vad har Olle varit med om i sommar?

31

Satsadverb

Sätt in satsadverben!

Exempel:

alltid — Eva stiger upp klockan sju. Eva stiger alltid upp klockan sju

Åke säger: Eva stiger upp klockan sju.

Åke säger att Eva alltid stiger upp klockan sju.

1 nästan alltid — Eva lagar frukost.

Åke säger: Eva lagar frukost.

2 ofta — Bo kommer för sent till universitetet.

Ulla frågar: Kommer Bo för sent till universitetet?

3 för det mesta — Bo äter i köket.

Bo säger: Jag äter i köket.

4 nästan aldrig — Birgitta handlar på förmiddagen.

Birgitta säger: Jag handlar på förmiddagen.

aldrig Kalle promenerar till skolan. ______

Berit säger: Kalle promenerar till skolan.

______

sällan Bussen kommer för sent. ______

Bo säger: Bussen kommer för sent.

______

vanligen Göran köper en tidning på eftermiddagen.

______

Ulla säger: Göran köper en tidning på eftermiddagen.

______

inte Olof Svensson bor i Lund. ______

Birgitta säger: Olof Svensson bor i Lund.

______

repositioner

xempel: Åke arbetar alltid till klockan fem.

1 Ingrid kommer ______ Kalmar.

2 Eva och Åke bor ______ Lund.

3 Svea Lindberg bor ______ fjärde våningen.

4 Bo är medlem ______ en politisk förening.

5 Vad har Olle gjort ______ sommar?

6 Olle badade en gång ______ juni.

7 Erik tar ett foto ______ familjen.

8 Går du ofta ______ bio?

9 Ulla åker buss ______ arbetet.

10 Åke arbetar ______ en fabrik.

11 Bo studerar ______ Lunds universitet.

12 Vad sysslar Göran ______?

13 Hur står det ______?

14 Ta ______ dig jackan, när du går ut.

15 Bo kommer ofta ______ sent.

32

Imperativ

Hur säger man det här på ett artigt och trevligt sätt? (se avsnitt 26)

Stäng dörren!

Var snäll och stäng dörren!

1 Öppna fönstret!

2 Håll tyst!

3 Hjälp mig!

4 Säg mig var stationen ligger!

5 Tala långsamt!

6 Lyssna på mig!

7 Vänta på mig!

8 Skratta inte!

ʀelativa pronomen och satsadverb

ˈxempel:

Kalle har en katt. Den heter Måns.

Kalle har en katt, som heter Måns.

1 Karin har en boll. Hon leker med den.

Karin har en boll. ___

2 Mamma har två barn. Hon tvättar dem.

Mamma har två barn, ___

3 Erik har köpt en bil. Han kör med den till arbetet.

Erik har köpt en bil, ___

4 Vi har en lägenhet. Den är stor och ljus.

Vi har en lägenhet, ___

5 Berit har en pojkvän. Hon träffar honom efter skolan.

Berit har en pojkvän, ___

6 Kalle ser en film. Den är bra.

Kalle ser en film, ___

7 Det kommer en buss. Vi ska åka med den.

Det kommer en buss, ___

8 Familjen har ett piano. Birgitta spelar på det.

Familjen har ett piano, ___

9 Eva äter ett äpple. Det är gott.

Eva äter ett äpple, ___ ▶

10 Kalle har en syster. Hon heter Berit.

Kalle har en syster, ____________________

11 Bo har köpt en skiva. Den har musik av ABBA.

Bo har köpt en skiva, ____________________

12 Åke har en tidning. Han läser den.

Åke har en tidning, ____________________

13 Birgitta har en syster. Hon ringer ofta till henne.

Birgitta har en syster, ____________________

14 Mats lyssnar på en saga. Ingrid läser den.

Mats lyssnar på en saga, ____________________

15 Berit ska åka med bussen. Den kommer där.

Berit ska åka med bussen, ____________________

16 Kalle har en katt. Katten tycker inte om hundar.

Kalle har en katt, ____________________

17 Hellströms får ibland oväntade gäster. Eva lagar gärna ”Janssons frestelse” till dem.

Hellströms får ibland oväntade gäster, ____________________

18 Svenssons har en hund. Mamma går alltid ut med den på morgonen.

Svenssons har en hund, ____________________

19 Birgitta sitter vid pianot. Hon spelar ofta på det.

Birgitta sitter vid pianot, ____________________

20 Kalle har ett rum. Han städar sällan det.

Kalle har ett rum, ____________________

33

Skriv och berätta!

Berätta historien om Bo och Svea!

34

Mat

Här är ”matpyramiden”, som visar vad du behöver äta varje dag.
Titta också på sidan 202–203 i läroboken!

Matpyramiden

Maten i toppen behöver du äta minst av. Vilken mat är det

Maten i mitten behöver du äta mera av.
Vilken mat är det?

Maten i botten behöver du äta mest av.
Vilken mat är det?

35

innan – medan – när

Gör de två satserna till en med hjälp av innan – medan – när.

Exempel:

Hon lagar mat. Hon äter.

Hon lagar mat innan hon äter.

Hon diskar. Hon äter.

Monika dricker kaffe. Hon tittar på TV.

Olle kommer hem. Skolan slutar.

Åke sjunger. Han duschar.

Bo går på restaurang. Han klarar en tentamen.

Erik äter en smörgås. Han går och lägger sig.

Eva lyssnar på musik. Hon städar.

Milan röker. Han talar i telefon.

Ordföljd

Placera den kursiverade satsen först! Gör nödvändiga ändringar!

Exempel:

Ingrid bodde i Kalmar, *innan hon flyttade till Lund.*

Innan Ingrid flyttade till Lund, bodde hon i Kalmar.

1 Eva dricker en kopp kaffe, *innan hon går hemifrån.*

2 Åke dricker en öl, *medan han tittar på TV.*

3 Svea cyklar hem, *när hon har slutat arbeta.*

4 När Bo har läst ut boken, *lånar Monika den.*

5 När Mats har somnat, *dricker Ingrid en kopp te.*

6 Bo läste historia, *innan han började läsa engelska.*

7 Mamma lagar mat, *medan barnen dukar bordet.*

8 Innan Eva går hemifrån, *har hon ätit frukost.*

Vad gör de?

Vad gör Eva och Åke?

Monika Holm hälsar på Bo Lundin. Vad gör de?

3 Berätta om Hellströms' lördag!

En bildberättelse

Skriv en berättelse med hjälp av bilderna!

›reposition + substantiv → konjunktion + bisats
öre – under – efter → innan – medan – när

›kriv om meningarna!

:xempel: Åke dricker en öl under TV-programmet.

Åke dricker en öl medan han tittar på TV.

1 Under frukosten talar Eva med Åke.

______

2 Före resan till Paris köper Eva biljetter.

______

3 Mats går och lägger sig efter badet.

______

4 Efter läxorna går Berit på bio.

______

5 Familjen Svensson badar mycket under semestern.

______

6 Hellströms äter middag före biobesöket.

______

7 Doktorn talar med Åke under läkarbesöket.

______

8 Före skolan äter barnen frukost.

______

9 Erik kör hem efter arbetet.

______

10 Under sommarlovet brukar Olle fiska.

______

36

Adjektivets komparation

A *Exempel:*

stol/billig – tavla/dyr

Stolen är billigare än tavlan.

Tavlan är dyrare än stolen.

1 fåtölj/mjuk – stol/hård

2 katt/mätt – hund/hungrig

3 man/stor – pojke/liten

4 skåp/hög – byrå/låg

5 vädret i Afrika/torr – vädret i Sverige/våt

6 jeans/lång – kortbyxor/kort

7 Ulla/rik – Emma/fattig

8 Jasna/mörk – Karin/blond

9 Albin/lugn – Ragnar/orolig

0 Sylvia/vacker – Agda/ful

1 Karl/tjock – Per/smal

2 Gustav/pigg – Edvin/trött

3 Ulf/bra – Yngve/dålig

4 Åsa/glad – Barbro ledsen

5 Åke/32 år – Eva/30 år

Exempel:

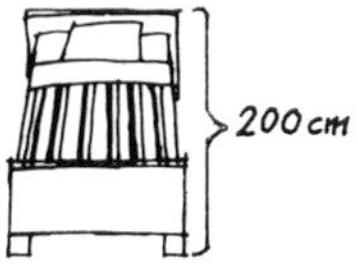

200 cm

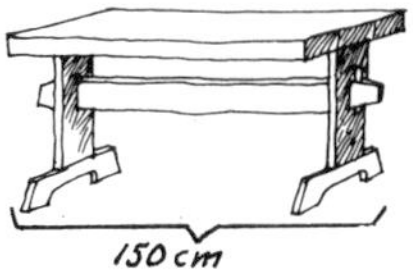

150 cm

Sängen är femtio centimeter längre än bordet.

5 000 kilo 1 000 kilo

Erik 38 år  Birgitta 35 år

24:– 35:–

4  100° (vatten)  60° (kaffe)

5  5° (november)  -5° (december)

6  Monika 24 år  Kristina 25 år

7  500:–  200:–

8  10 kilo  20 kilo

C *Exempel:*

pensionär/pojke/trött *Pensionären är tröttare än pojken.*

1 Sverige/Danmark/stor

2 flickor/pojkar/ordentlig

3 stuga/hus/låg

4 katt/gris/ren

5 kudde/täcke/mjuk

6 engelska/kinesiska/lätt

7 Göteborg/Malmö/liten

8 fåtölj/stol/tung

37

Komparation

Exempel:

38

Komparation

A *Exempel:*

Mount Everest/hög berg/världen — Mount Everest är världens högsta berg

Mount Everest är det högsta berget i världen.

1 Nilen/lång flod/världen

2 Sovjet/stor land/världen

3 Kebnekaise/hög berg/Sverige

4 Vänern/stor sjö/Sverige

5 Rolls Royce/dyr bil/världen

6 Blekinge/liten län/Sverige

7 Miss Universum/vacker kvinna/världen

8 Köttbullar/god maträtt/världen

B *Exempel:*

Juli brukar ha det varmaste vädret på hela sommaren.

1 Årets ____________________ månad är januari.

2 Världens ____________________ heter Nilen.

3 Vad heter Anders' ____________________? Han heter Nisse.

4 Kalle är mera ____________________ av mopeder än av flickor.

5 Familjens ____________________ flicka heter Karin och är bara två år.

6 Juli är den ____________________ semestermånaden.

7 Vad heter Sveriges ____________________? Den heter Stockholm.

8 Ryssland är ____________________ land.

9 Vad heter Sveriges ____________________ berg? Det heter Kebnekaise.

10 Det här var den ____________________ nyheten på länge!

C *Skriv adjektivets komparativ- eller superlativform i meningarna!*

Exempel:	gammal	Han var mycket äldre än vi trodde.
1	bekväm	Eva sitter i den ____________________ fåtöljen.
2	fantastisk	Jag har aldrig sett en ____________________ film än denna.
3	flitig	Olle är ____________________ av alla eleverna.
4	försenad	Tåget var ____________________ än bussen.
5	kall	Det brukar vara ____________________ i februari.
6	blond	Skandinaviska flickor är ____________________ av alla.
7	lång	Dagarna är ____________________ på sommaren än på vintern.
8	lång	De ____________________ dagarna är i juni.

39

Reflexiva verb

A Skriv rätt form av verben!

Exempel:

	lägga sig	Berit gick och ___la sig___ tidigt igår kväll.
1	skynda sig	"Nu måste ni ___!", säger Birgitta till barnen.
2	sträcka på sig	När Monika har vaknat, ___ hon ___
3	lära sig	Berit har börjat ___ köra bil.
4	känna sig	Svea ___ lite dålig igår.
5	kamma sig	Birgitta säger till Olle och Anna: "___ nu!"
6	raka sig	Bo behöver inte ___
7	snyta sig	Erik var förkyld och ___ hela tiden.
8	akta sig	Mamma ropar till barnen: "___ för trafiken!"
9	löna sig	Åke tycker att det inte ___ att arbeta extra.
10	tvätta sig	Ulla frågar Kalle om han har ___ idag.
11	bestämma sig	Igår ___ Kristina ___ för att studera italienska.
12	bry sig om	"Det ___ jag ___ inte om!", säger Olle.
13	gifta sig	Åke och Eva ___ i en liten kyrka förra året.
14	klä på sig	Karin ___ själv igår.
15	torka sig	Bo ___, när han har duschat.

3 *Skriv meningar! Börja med den kursiverade delen!*

Exempel:

bruka/tvätta sig/Anna/i kallt vatten.

Anna brukar tvätta sig i kallt vatten.

1 Anna/*bruka*/tvätta sig/i kallt vatten?

2 *Idag*/Göran/känna sig sjuk.

3 du/*sätta* sig i soffan/inte!

4 du/*vilja*/lära sig/svenska?

5 *hon*/gå hemifrån,/när/hon/klä på sig.

6 bruka/du/lägga sig på kvällen/*när*?

7 vi/*måste*/bestämma sig/nu?

8 känna sig/dålig/ha/*jag*/hela dagen.

9 *Igår*/Åke/klä på sig/redan klockan 6.

Läsförståelse

1 Berätta om Hellströms' köp!

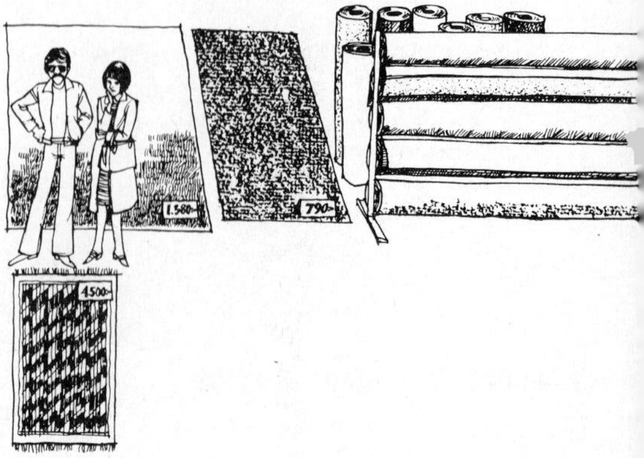

2 Berätta om sommarvädret!

3 Vad gör Svea Lindberg efter arbetet?

40

ossessiva pronomen

*kriv rätt form av **hans–hennes–deras–sin–sitt–sina**!*

xempel:

Milan och hans fru kommer från Jugoslavien.
(Milans)

Göran har en säng. ______ säng står i sovrummet.
(Görans)

Kalle ligger och läser på ______ säng.
(Görans)

Sven Berg är pilot. Han älskar ______ arbete.
(Svens)

Greta och ______ man Torsten är pensionärer.
(Gretas)

Eva heter Hellström i efternamn nu. Tidigare var ______ efternamn Bengtsson.
(Evas)

Jasna Novak är åtta år. ______ ålder är åtta år.
(Jasnas)

Göran och Ulla har två barn. ______ barn heter Kalle och Berit.
(Görans och Ullas)

Göran trivs bra på ______ arbete.
(Görans)

ivilstånd

itta på presentationen på sidan 6–7 i textboken och svara på frågorna!

xempel:

Vad är Bo Lundin? Han är ogift.

1 Vad är Torsten Falk? ______ ▶

2 Vad är Sven Berg och Lena Nyman? ______________________

3 Vad är Ingrid Ek? ______________________

4 Vad är Ulla Nilsson? ______________________

5 Vilka personer är ogifta? ______________________

6 Vem är frånskild? ______________________

7 Vilka är gifta? ______________________

8 Vem skulle kunna gifta om sig? ______________________

9 Vad är Svea Lindberg? ______________________

10 Var kan man gifta sig? ______________________

Ordkunskap – släkt och familj

Se sidan 6–7 och 214–216 i textboken!

Exempel: Ingrid Ek är Mats' mamma.

1 Ingrid Ek ______________ med Lars i en liten vit kyrka för sju år sedan.

2 Mats och Ingrid Ek ______________ i tre år, innan de ______________.

3 Många unga par ______________ före vigseln.

4 Ingrid Ek skulle kunna ______________ med en ny man.

5 Sven Berg och Lena Nyman är sambor men de vill inte ______________.

6 Anna Svensson har två ______________, en ______________ och en ______________.

7 En stor ______________ består av många ______________ i flera ______________.

8 Birgitta är Eriks ______________ eller ______________ eller ______________ och Annas ______________ eller ______________.

41

ossessiva pronomen

*Skriv rätt form av **hans–hennes–deras–sin–sitt–sina**!*

xempel:

Åke och *hans* fru har en trerumslägenhet.

1 Åke köper blommor till ______ fru ibland.

2 Eva blir glad, när hon får blommor av ______ man.

3 Birgitta och ______ mamma skriver ofta brev till varandra.

4 Erik kör bil till ______ arbete.

5 Kristina och ______ väninna Monika bor i samma lägenhet.

6 Kalle och ______ pappa är intresserade av bilar och mopeder.

7 Bo har många böcker och Monika lånar ofta ______ böcker.

8 Åke och Eva har en lägenhet tillsammans. ______ lägenhet är liten.

9 Lena och Sven är inte så ofta hemma i ______ lägenhet.

0 Erik tycker, att ______ arbete är intressant.

1 Greta och ______ man Torsten är ofta ute och cyklar.

2 Ingrid träffade ______ man på en dansrestaurang.

Skriv rätt pronomen!

xempel:

Den (katten) leker med *sin* (kattens) boll.

1 ______ (katten) leker med ______ (barnens) bollar.

2 ______________ leker med ______________ boll.
(barnet) (kattens)

3 ______________ leker med ______________ bollar.
(katterna) (barnets)

4 ______________ leker med ______________ boll.
(barnen) (kattens)

5 ______________ leker med ______________ bollar.
(katterna) (katternas)

6 ______________ leker med ______________ boll.
(barnet) (katternas)

7 ______________ leker med ______________ bollar.
(katten) (barnets)

8 ______________ leker med ______________ boll.
(barnen) (barnens)

9 ______________ leker med ______________ bollar.
(katterna) (barnens)

10 ______________ leker med ______________ boll.
(barnet) (barnets)

C Skriv rätt uttryck för ägaren!

Exempel: affären	Ingången till affären ligger på dess framsida.
1 USA	___________ huvudstad heter Washington D.C.
2 föräldrarna/barnen	Föräldrarna ber ___________ barn att bädda ___________ sängar.
3 jag	Vem har tagit ___________ glasögon?
4 vem	Läraren undrar ___________ böcker som ligger på bordet.
5 Åke	När Åke kommer ut i köket, har ___________ fru lagat frukost.
6 Ulla	När Ulla var hemma hos ___________ föräldrar, hade hon inte ___________ man med sig.
7 Tomas	Det här är inte min hund. Det är ___________
8 Peter	Peter och ___________ fru ska hälsa på ___________ föräldrar.

42

Adjektiv och adverb

Skriv ett adjektiv eller ett adverb i meningarna!

Exempel:

vacker — Anna är en *vacker* flicka.
Huset ligger *vackert*

1 hög — Svea bor i ett ________ hus.
Bo spelar ________ på trumpeten.

2 vacker — Berit talar ________
Tavlan är ________ målad.

3 frisk — Barnen ser ________ ut.
Svea känner sig ________

4 glad — Barnen ler ________
De är väldigt ________

5 nervös — Kristina är ________ när hon ska gå till tandläkaren.
Karin skrattar ________

6 vänlig — Greta ler alltid ________
Torsten är en ________ man.

7 dyr — Familjen Svensson bor ________
De har en ________ lägenhet.

8 långsam — Carmen talar ________
Lena har en ________ bil.

▶

9	sen	Erik kommer ofta ____________ till arbetet.
		Han är ____________ många dagar.
10	trevlig	Barnen ser ____________ ut.
		Boken är ____________ skriven.
11	artig	Torsten hälsar alltid ____________
		Bo är en ____________ ung man.
12	snabb	Åke har en ____________ bil.
		Vi har lärt oss svenska ____________
13	bra	Milan talar svenska ____________
		Milan talar en ____________ svenska.
14	gratis	Läroböckerna är inte ____________
		Läraren ger böckerna till eleverna ____________
15	hjärtlig	Många ____________ gratulationer på födelsedagen!
		Eva hälsar ____________ på sina grannar.
16	hög	Vi hörde ett ____________ ljud.
		Torsten talar alltid ____________
17	nyfiken	Barn är alltid ____________
		Turisterna såg sig ____________ omkring.
18	lugn	Det är inte alltid så ____________ på kvällen.
		Greta talar ____________ med barnen.

43

Adjektiv och substantiv i utropssats

Fyll i rätt form av orden!

Exempel:

Vilka *fina* *kort* !
fin kort

1 Alla ser verkligen ______________ ut.
glad

2 Vad ______________ är ______________!
mat dyr

3 En sådan ______________ ______________ du har!
trevlig lägenhet

4 Vad Berit ser ______________ ut!
ledsen

5 Så ______________ ______________ du har köpt!
vacker blomma

6 Vilket ______________ ______________ det är idag!
vacker väder

7 Så ______________ han har blivit!
gammal

8 Vad de är ______________!
trevlig

9 Så ______________ huset är!
stor

10 Sådana ______________ ______________ det finns!
snygg kläder

Ordföljd i utropssats

Ändra meningarna så att de blir utropssatser!

Exempel: Du har en gammal bil. (vilken)

Vilken gammal bil du har!

1 Han har skrivit en intressant bok. (en sådan)

2 Kläder är dyra nuförtiden. (vad)

3 Du ser glad ut. (vad)

4 Du har köpt snygga skor. (så)

5 Vi har vackert väder idag. (ett sådant)

6 Du dansar bra.

7 Ni har många intressanta böcker.

8 Det är ett hundväder idag.

9 Barnen är charmiga.

44

Datum

När är det Lucia? *Den trettonde december.*

1 När är det Svenska flaggans dag?

2 När är det Nyårsafton?

3 När är det Annandag jul?

4 När är det Trettondagsafton?

5 När är Nobeldagen?

Vad är det för datum?

1/1 *Det är den första i första.*

1 4/2

2 16/6

3 7/11

4 28/12

5 30/4

6 25/3

7 14/10

8 17/5

9 9/8

10 18/10

Adjektiv och adverb

Skriv ett adjektiv eller ett adverb i meningarna!

Exempel: vacker — Flickan talar vackert.

1 utrikes — Eva har gjort många ________________ resor.

2 tom — Glasen är ________________

3 ostadig — Mannen gick ________________

4 oväntad — Gästerna kom ________________

5 charmig — Barnet är ________________

6 elektrisk — Pappa rakar sig ________________

7 förkyld — Vi blev väldigt ________________

8 hjärtlig — Han hälsade ________________ på oss.

9 humoristisk — Boken är ________________ skriven.

10 oväntad — Vi fick ________________ gäster igår.

11 långsam — Bussen körde ________________ bort.

12 sjuk — De lät ________________ när vi ringde till dem.

13 lätt — Eleverna har fått ________________ läxor till i morgon.

14 röd — Eva är ofta klädd i ________________

15 lat — Vi kände oss ________________ under hela semestern.

16 elektrisk — I köket finns många ________________ apparater.

17 född — Barnet är ________________ utomlands.

18 gammal — Göran hade problem med sin ________________ bil.

5

djektiv och substantiv

riv rätt form av adjektivet och substantivet!

Exempel:

1 vacker/väder — Idag är det vackert väder

Ska vi gå ut i det ________ ________?

2 stor/nyhet — Har du hört den ________ ________?

Vilken ________ ________?

3 trevlig/flicka — Monika är en ________ ________

Vad heter den ________ ________?

4 hög/hus — De bor i samma ________ ________

Finns det några ________ ________ i Lund?

5 intressant/historia — Bo berättade en ________ ________

Han kan många ________ ________

Exempel:

gammal/vän — Ingrid har en gammal vän som heter Siv.

Hon talar ofta i telefon med sin ________ ________

1 god/mat — Birgitta lagar alltid ________ ________

Hon är känd för sin ________ ________

Vilken ________ ________ Birgitta lagar! ▶

2 ny/bil

Åke har köpt en ________ ________

Den ________ ________ står på gatan.

Erik har inte råd att köpa någon ________ ________

men han tittar intresserat på Åkes ________ ________

3 intressant/bok

Bo läser en ________ ________

Monika vill gärna låna hans ________ ________

Bo har många ________ ________ i bokhyllan.

Monika får låna den ________ ________ när Bo har läst ut den.

4 fin/kamera

Erik Svensson har en mycket ________ ________

Han fotograferar ofta med sin ________ ________

Birgitta lånar den ________ ________ ibland.

5 stor/hus

På Storgatan 12 ligger ett ________ ________

Svea bor högst upp i det ________ ________

Det finns många ________ ________ i Lund.

Familjen Svensson bor i samma ________ ________

6 liten/rum

Mats ________ ________ är alltid ostädat.

Bo har två ________ ________

Han har många möbler i de ________ ________

Torsten har inget ________ ________ han har ett stort.

7 rolig/historia

Göran berättar ofta ________ ________

Han kommer ihåg alla ________ ________ som han hör.

Kan du någon ________ ________?

46

Verbformer

Skriv rätt form av verbet!

Exempel:

prata	De har alltid mycket att ___prata___ om
1 sitta	De ________ i köket och pratar.
	Varsågod och ________!
	Svea har ________ och väntat i tio minuter.
2 göra	Vad ________ du?
	Vad ________ du när telefonen ringde?
	Vad har du ________ idag?
3 komma	Vill du inte ________ in på en kopp kaffe?
	Jag ________ när jag får tid.
	Läraren har redan ________
4 köpa	Åke och Eva har ________ ny bil.
	Kalle måste ________ nya kläder.
	Göran ________ en tidning när han gick hem från arbetet.
5 ligga	Monika ________ i sängen och sover.
	Boken ________ på bordet för en minut sedan.
	Det bästa hon vet är att ________ och läsa tidningen i sängen.
6 se	________ du det nya programmet på TV igår kväll?
	Jag har aldrig ________ något liknande.
	Vad du ________ ledsen ut!

▶

7 läsa Har du ________ tidningen idag?

Bo ska ________ ut boken ikväll.

________ du om deras förlovning i tidningen?

8 gå Jasna har ________ hem.

Vill du ________ med på bio ikväll?

Han ________ när hon kom.

9 höra ________ på vad jag säger!

Torsten ________ inte så bra.

Förlåt, jag ________ inte vad du sade.

10 tycka Svea ________ om kaffe.

Erik ________ att parfymen luktade gott.

Hon har alltid ________ om att lyssna på musik.

Läsförståelse

1 Vad gör Erik Svensson och Hellströms på gatan?

____

____

____

____

____

____

____

Berätta om Torsten och Greta Falk!

Vad gör familjen Nilsson?

Vad talar Birgitta och Svea om?

47

Rumsadverb

Skriv meningarna färdigt!

Exempel:

Ulla tittar in i lägenheten.

1 Erik tittar ________ ________ fönstret.

2 Hon går ________ ________ trappan.

3 Berit går ________ ________ rummet och sätter sig i soffan.

4 Åke går ________ ________ dörren och stänger den efter sig.

5 Mannen går ________ ________ polisen och frågar efter vägen.

6 Barnen springer ________ ________ trappan och ut på gatan.

7 Greta går ________ ________ affären när hon har handlat.

8 Milan flyttar ________ ________ huset med sin familj.

Prepositioner

Skriv rätt ord!

Exempel:

Alla i huset talar med varandra.

1 Familjen har barn ________ deras ålder.

2 De stiger ________ bilen och tittar ________.

3 Dörren ________ lägenheten är stängd.

4 De står ________ gatan ________ huset.

5 Affären ligger ________ torget.

6 Åke tittar ________ Eva, när hon dukar ________ bordet.

7 Vad du ser glad ________!

8 Tack ________ hjälpen!

9 Kungen delar ________ nobelprisen.

0 Det var det värsta jag har hört ________ hela mitt liv!

1 Vad står det ________ tidningen?

2 Jasna går ________ skolan.

3 Hur dags går hon ________ skolan?

4 Stäng ________ TV:n, är du snäll!

5 Alla hjälper ________ med disken.

6 Vill du sätta ________ radion?

7 Det finns inga gardiner ________ fönstret.

8 Står det något namn ________ dörren?

9 Vad ska vi ha ________ middag idag?

0 Hör ________ vad jag säger!

21 Greta går ________ ________ affären för att handla.

22 Vi ska resa ________ en vecka.

23 Turisten går ________ ________ polisen för att fråga efter vägen.

24 Birgitta går ________ ________ köket när hon har diskat.

25 Ett foto ________ mig finns både ________ mitt pass och ________ mitt körkort.

48

Ordkunskap

Vad är

Vad är en fot + en boll?

Det är en fotboll.

1 ett barn + en vagn?

2 ett barn + ett rum?

3 en vår + en blomma?

4 att skriva + ett bord?

5 en dans + en restaurang?

6 ett arbete + en plats?

7 ett kök + ett bord?

8 en dag + ett hem?

9 ett hår + ett schampo?

10 ett arbete + en dag?

11 en möbel + en affär?

12 att resa + en väska?

13 en vardag + ett rum?

14 en mat + ett bord?

15 en kväll + en tidning?

16 att sova + ett rum?

17 ett huvud + en stad?

18 en grammofon + en skiva?

19 att bada + ett kar?

en lunch + ett rum?

ett bord + en lampa?

att flytta + en bil?

ett kaffe + en kopp?

en vecka + en dag?

ett arbete + en kamrat?

ett golv + en lampa?

en hund + ett väder?

en buss + en biljett?

ett kött + en disk?

en ost + en smörgås?

31 ett badrum + ett skåp?

32 en näsa + en duk?

33 en mat + ett pris?

34 ett brev + en låda?

35 en vecka + en tidning?

36 hemma + en kväll?

37 en bil + en skola?

38 en stad + ett bibliotek?

39 en flicka + en vän?

40 ett arbete + en tid?

41 en färg + en TV?

▶

42 att bada + ett rum?

43 en höst + en kväll?

44 en soffa + ett bord?

45 en son + en son?

46 sjuk + ett hus?

47 50 + en lapp?

48 en grönsak + en disk?

49 en sol + ett ljus?

50 en trappa + en uppgång?

51 en semester + ett väder?

52 en mor + en bror?

53 att bada + byxor?

54 en saga + en bok?

55 att diska + en bänk?

56 en eftermiddag + ett kaffe?

57 att leka + en plats?

58 en TV + ett program?

59 ett nyår + en dag?

9

rdföljd

Skriv adverbet på rätt plats i meningen!

Exempel:

	inte	Eva spelar piano. Eva spelar inte piano.
		Åke säger, att Eva spelar piano. Åke säger att Eva inte spelar piano.
1	alltid	Svea har bott i Lund.
2	för det mesta	Jasna är glad.
3	väl	Du vill ha en kopp kaffe?
4	hellre	Vill du ha en kopp te?
5	egentligen	Det här är väldigt enkelt.
6	ofta	Går du på bio?
7	aldrig	Kalle har varit intresserad av balett.

Skriv adverbet på rätt plats i den kursiverade bisatsen!

1	aldrig	Olle frågar, *om Svea har varit i Paris.*
2	sällan	Göran tycker, *att Ulla är sjuk.*
3	alltid	Carmen undrar, *om det regnar i Sverige.*
4	gärna	Hon säger, *att hon kommer.*

▶

5 kanske Eva undrar, *om Åke vill gå på bio.*

Läsförståelse

1 Vad händer på Storgatan 12?

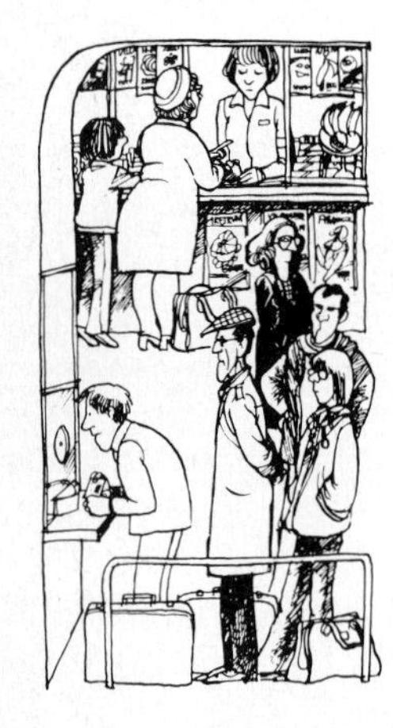

2 Vad gör Torsten och Greta Falk på järnvägsstationen?

3 Berätta om Olles sommarjobb!

60

eponens

ndra meningarna så, att du får ett verb som slutar på -s!

xempel:

ke träffar Sten. Sten träffar Åke.

Åke och Sten träffas.

trivas

Eva tycker att det är trevligt att bo i Lund.

minnas

Kommer du ihåg mig?

kännas

Hur mår du idag?

märkas

Alla kan se att han är sjuk.

hoppas

Jag önskar att du får en trevlig resa!

Ord och fraser

Bilda meningar med följande fraser!

Exempel:

(ett ögonblick). Kan du vänta ett ögonblick? ______

1 (för sent) ______

2 (så här sent) ______

3 (kommit fel) ______

4 (hur ska jag gå) ______

5 (rakt fram) ______

6 (ta till vänster) ______

7 (skulle jag kunna) ______

8 (stör) ______

9 (så länge) ______

10 (till dig) ______

11 (får jag) ______

12 (grattis) ______

13 (skulle du vilja) ______

14 (så synd att) ______

15 (med anledning av) ______

16 (på tal om) ______

51

eponens

Placera in rätt form av verbet!

Exempel:

svettas — Han *svettas* alltid när det är varmt.

1 hoppas — Hon ______ på det bästa.

2 skiljas — De ______ som vänner.

De ska ______

3 födas — Det ______ för lite barn i Sverige.

Det regnade när jag ______

4 lyckas — Han har verkligen ______ bra.

Det kan inte ______ varje gång.

5 umgås — De ______ mycket när de bodde i Lund.

De ______ aldrig med sina grannar.

Ändra meningarna så att du får ett verb som slutar på -s!
Använd de här verben:

hjälpas åt, umgås, minnas, saknas, vistas, låtsas, skiljas,
lyckas, märkas, kräkas

Exempel: Erik är mycket varm. — *Han svettas.*

1 Jag kommer inte ihåg var han bor. ______

2 Hon träffar ofta sina grannar. ______

3 Han är i London just nu. ______

4 Man kan inte finna honom. ______ ▶

5 Hon får inte behålla det hon äter. ______________________

6 Man kan se att du är glad. ______________________

7 Hon säger att hon är glad, men det är inte sant. ______________________

8 De ska inte vara gifta längre. ______________________

9 Det har gått bra för honom. ______________________

10 De hjälper varandra. ______________________

C *Skriv rätt form av ett deponens i meningarna!*

Exempel: Många invandrare har vistats länge i Sverige.

1 Eleven ______________________ klara examen igår.

2 Jag kan inte köpa boken. Det ______________________ 15 kronor.

3 Åke var så sjuk i magen att han ______________________.

4 Barnen ______________________ nästan alltid på föräldrarna.

5 Hej då! Vi ______________________ i morgon.

6 Barnen ______________________ Kalle hans nya, fina moped.

7 Det var så varmt att alla ______________________.

8 Barnen ______________________ att städa i köket varje dag.

9 Jag ______________________ att det blir vackert i morgon.

10 Varje år ______________________ nästan 100 000 barn i Sverige.

52

Direkt och indirekt tal

Direkt tal	*Indirekt tal*
Exempel:	
Åke: ”Eva kommer.”	Åke säger att Eva kommer.
1 Åke: ”Kommer Eva?”	
2 Eva: ”Jag är lärare.”	
3 Ingrid: ”Jag är från Kalmar.”	
4 Svea: ”Varifrån är Ingrid?”	
5 Berit: ”Vad är klockan?”	
6 Olle: ”När går bussen?”	
7 Karin: ”Vi är fem i familjen.”	
8 Erik: ”Jag är hungrig.”	
9 Berit: ”Har någon ringt?”	
10 Svea: ”Jag skulle vilja ha en bil.”	
11 Torsten: ”Det är vackert väder idag.”	
12 Greta: ”Vad ska vi ha till middag?”	
13 Milan: ”Kommer du från Sverige?”	
14 Erik: ”Jag tycker om köttbullar.”	

Skriv om meningarna till indirekt tal!

Exempel:

	Ulla	Mamma är snäll.	*Ulla säger att mamma är snäll.*
1	Peter	Bor Åke i Lund?	
2	Inger	Har kursen börjat?	
3	Åke	När kommer bussen?	
4	Lena	Var är mina böcker?	
5	Bo	Jag ska resa till Paris.	
6	Åsa	Jag har tappat mina pengar.	
7	Kalle	Eva och jag tvättar våra kläder.	
8	Siv	När börjar filmen?	
9	Adam	Jag har inte tid.	
10	Berit	Mina föräldrar är gamla.	
11	Sven	Jag har tvättat min bil.	
12	Sonja	Hur mycket är klockan?	
13	Bertil	Eva ska resa utomlands.	
14	Ylva	Jag har varit i Paris.	
15	Gösta	När ska Åsa komma?	
16	David	Jag vill gärna resa utomlands.	
17	Åsa och Bo	Vi kommer nog i morgon.	
18	Ulf och Lena	Vi går ofta på bio.	

53

Direkt och indirekt tal

Skriv vad de frågar, säger och vill veta!

Exempel:

Milan: "Var skriver man upp sig?"

Vad vill Milan veta?

Milan vill veta var man skriver upp sig.

1 Ulla: "Här hänger man upp tvätten."

Vad visar Ulla?

2 Kalle: "Hur mycket är klockan?"

Vad vill Kalle veta?

3 Ulla: "Jag visar gärna hur man gör."

Vad säger Ulla?

4 Berit: "Så här gör man när man startar en bil."

Vad visar Berit?

5 Birgitta: "Måste Olle verkligen spela grammofon så högt?"

Vad undrar Birgitta?

▶

6 Mats: "Det här har vi gjort på dagis idag."

Vad berättar Mats?

---

7 Åke: "Var har du lärt dig så bra svenska, Milan?"

Vad vill Åke veta?

---

8 Ulla: "Kalle, du måste tala om vart du ska gå."

Vad måste Kalle göra?

---

9 Kristina: "Monika, du måste hjälpa mig med disken."

Vad säger Kristina att Monika måste göra?

---

10 Sven: "Jag har varit i Paris idag."

Vad berättar Sven för Lena?

---

11 Eva: "Kan jag få tala med herr Nilsson?"

Vad undrar Eva?

---

12 Jasna: "Här bodde jag i Jugoslavien."

Vad visar Jasna på kartan?

54

Därför – därför att

Exempel:

Milan kommer från Kroatien. Därför talar han kroatiska.

Milan talar kroatiska, därför att han kommer från Kroatien.

1 Erik är bilmekaniker. ______ kan han laga familjens Volvo.

Erik kan laga familjens Volvo, ______ han är bilmekaniker.

2 Lena är flygvärdinna. ______ har hon sett många länder.

Lena har sett många länder, ______ hon är flygvärdinna.

3 Bo har studerat engelska. ______ talar han språket flytande.

Bo talar engelska flytande, ______ han har studerat engelska.

4 Ingrid är frånskild. ______ har hon ingen make.

Ingrid har ingen make, ______ hon är frånskild.

5 Berit och Kalle har skaffat en katt, ______ de tycker om djur.

Berit och Kalle tycker om djur. ______ har de skaffat en katt.

6 Maria talar dålig svenska. ______ går hon på en svenskkurs.

Maria går på en svenskkurs, ______

7 Torsten är gammal. ______ är han pensionerad.

Torsten ______, ______

8 Olle badar, därför att vattnet är varmt.

Vattnet ______ ______

9 Eva är intresserad av litteratur. ______ har hon många böcker.

Eva ______ ______ ▶

10 Kristina har studerat franska. ______________ talar hon franska ganska bra.

Kristina ______________ ______________

11 Berit träffar ofta Kjell, ______________ hon älskar honom.

Berit ______________ ______________

12 Mats måste vara på daghem, ______________ hans mamma arbetar.

Mats ______________ ______________

Läsförståelse

1 Berätta om Kristina och kärleken!

____

____

____

____

____

____

____

____

____

____

____

____

____

Vad säger Berit och Kjell till varandra?

Vad gör Ulla i tvättstugan tillsammans med Maria och Milan Novak?

Vad händer på Luciadagen?

55

Verbformer

Skriv rätt form av verbet!

Exempel:

1 träffa	Svea *träffade* Birgitta i trappan, när hon kom hem från arbete
	Ska Bo ________________ Monika ikväll?
	Nej, han har redan ________________ henne.
2 höra	Har Svea ________________ den stora nyheten?
	Ja, hon fick ________________ den av Birgitta.
	________________ på vad jag säger!
3 bestämma	Har Bo och Monika ________________ när de ska gifta sig?
	Ja, det ________________ de, när de förlovade sig.
	Du måste ________________ dig fort.
4 ta	Vem har ________________ min penna?
	Hon ________________ boken, när hon gick.
	Ska vi ________________ paus nu?
5 dricka	Ska vi ________________ en kopp kaffe?
	Jag har redan ________________ kaffe.
	Jag ________________ kaffe, när jag åt frukost.

äsförståelse

Vad gör Ingrid Ek och Mats?

Vad talar Svea Lindberg och Birgitta Svensson om?

En bildberättelse

Skriv en berättelse med hjälp av bilderna!

rågebisatser

ubjektmarkören *som* står efter frågeorden *vad, vem, vilken/vilket/vilka* när de är **subjekt** i frågebisats.

xempel:

ke frågar: ”Vem bor där?”	Åke frågar **vem** som bor där.	
lla undrar: ”Vad är bäst?”	Ulla undrar **vad** som är bäst.	
o vill veta: ”Vilken (bil) är billigast?”	Bo vill veta **vilken (bil)** som är billigast.	
en:		
ke frågar: ”Vem är det?”	Åke frågar vem **det** är.	(*vem* är predikatsfyllnad)
lla undrar: ”Vad är klockan?”	Ulla undrar vad **klockan** är.	(*vad* är predikatsfyllnad)
o vill veta: ”Vilken bil har Sven?”	Bo vill veta vilken bil **Sven** har.	(*vilken bil* är objekt)
er frågar: ”Vilket hus bor Eva i?”	Per frågar vilket hus **Eva** bor i.	(*vilket hus...i* är adverbial)

kriv frågebisatser! Se exemplen!

Eva undrar: ”Vem har tagit min penna?”

____

Johan frågar: ”Kommer inte Anna ikväll?”

____

Man kan åka buss eller tåg till Stockholm. De vill veta: ”Vad är billigast?”

____

De undrar: ”Vems är egentligen den där fina bilen?”

____

Maria vill veta: ”Vem ska jag tala med?”

____

Kunden frågar: ”Vad kostar äpplena?”

____

Åke och Eva undrar: ”Vilken bil är mest praktisk för oss?”

____

Eleverna frågar läraren: ”När ska vår lektion sluta?”

____

56

Pluskvamperfekt och imperfekt

Skriv meningar! Tänk på ordföljden!

Exempel:

Eva, äta middag/diska. — När Eva hade ätit middag, diskade hon

Eva diskade, när hon hade ätit middag

1 Eva, komma hem/laga mat

2 Bo, äta frukost/gå hemifrån

3 Kalle, sluta skolan/gå hem

4 Erik, vara hos doktorn/sova

5 Bo duscha/klä på sig

Monika, läsa boken/lämna tillbaka den

Ingrid, läsa sagan/Mats somna

Kristina, ha semester/bli vackert väder

Ordkunskap

Skriv sammansatta ord!

Exempel: ett arbete+en kamrat= en arbetskamrat

1 en pojke+en vän=

2 ett bad+en strand=

3 grön+en sak+en disk=

4 en telefon+ett nummer=

5 en person+ett nummer=

6 en vardag+ett rum=

7 att tvätta+en maskin=

8 att vänta+ett rum=

9 ett barn+en vagn=

10 att diska+en maskin=

11 en järnväg+en station=

12 en tand+en borste=

13 en gratulation+ett kort=

14 en sallad+ett huvud=

15 en kassett+en bandspelare=

16 en sommar+ett arbete=

17 ett namn+en skylt=

18 en tändsticka+en ask=

19 ett livsmedel+en affär=

20 en vecka+ett slut=

Läsförståelse

Vad händer med Erik Svensson?

57

Futurum

Skriv meningarna färdigt!

Jag tänker stanna hemma under min semester.

1 ______ när jag har ______

2 ______ kommer att ______

3 ______ om jag får råd.

4 Vad tänker ______

5 När jag har slutat ______

6 Hon kommer kanske att ______

7 ______ vem vet?

8 ______ på bättringsvägen.

9 Det är bäst att ______

10 ______ inte alls ______

Bilda meningar med futurum. Använd rätt konstruktion!

Exempel:

Vad ska Erik göra imorgon? (arbeta) VILJA

Erik ska arbeta imorgon

1 Vad ska Berit göra ikväll? (gå på bio) AVSIKT

______

2 När ska sommarlovet börja? (i juni) PROGRAM

______ ▶

3 Vad ska Birgitta göra, när hon har ätit middag? (diska) TVÅ TIDER

____

4 Vad ska Berit göra när hon har slutat gymnasieskolan? (söka in på högskola) AVSIKT

____

5 Vad ska Mats göra när han är sju år? (börja skolan) PROGRAM

____

6 Vad ska Carmen göra, när hon har avslutat svenskkursen? (börja arbeta) TVÅ TIDER

____

7 Vad ska Kristina göra, när hon har fått lön? (betala hyran) TVÅ TIDER

____

C Bilda meningar med futurumbetydelse.

Exempel: komma — Du kommer väl ikväll?

1 studera/börja — När Astrid ______ färdigt, ______ arbeta.

2 bli — Många småpojkar säger att de ______ ______ pilot.

3 köpa — Vad ______ du ______ i födelsedagspresent till henne?

4 sluta — Programmet säger att resan ______ ______ en söndagkväll.

5 åka/möta — Vi ______ ______ hem till oss, när vi ______ ______ dem på flygplatsen.

6 regna — Väderprognosen säger att det ______ ______ hela helgen.

7 bli/få — Hon ______ säkert mycket glad, när hon ______ presenten.

58

Stå, stanna, ställa

Exempel:

Stå upp!

1 Bilen kunde inte ______________ utan körde på pojken.

2 Om du är sjuk, måste du ______________ hemma.

3 Jag tycker inte om att ______________ i kö.

4 Du kan ______________ cykeln här.

5 Varför ______________ du när du kan sitta?

6 Hon ______________ sig på en stol, för att kunna se bättre.

7 Ska du ______________ i Sverige?

8 Vad ______________ det i tidningen idag?

9 Mitt namn ______________ på listan.

10 Tåget ______________ alltid i Lund.

Ordkunskap

Placera in följande ord i meningarna:

nuti, bort, inifrån, därifrån, framifrån, hem, innanför, nära, hemifrån, baklänges.

Exempel:

Är du hemma ikväll?

1 Hon hörde ett ljud ______________ rummet.

2 De satt ______________ varandra i soffan.

3 Jag ringer dig, när jag kommer ______________

4 När han var 18 år flyttade han ______________

5 När en bil backar, kör den ______________

6 Kommer du från Norrland? Jag visste inte att du kom ______________

7 Skorna stod ______________ dörren.

8 Jag är inte hemma ikväll. Jag ska gå ______________

9 Hon öppnade paketet och ______________ det låg en ring.

10 Passfoton ska tas ______________

Skriv rätt ord i meningarna!

1 Med nya ________________ brukar man kunna se ________________ än tidigare.

2 För att snabbt komma långt går det fortare att ______________ än åka ____________.

3 På födelsedagen brukar man få ________________ och en god ________________.

4 På kvällen ________________ en lång ________________ brukar många ha resfeber.

5 Sven ställer ________________ mjölken i ____________________ när han har ätit.

6 Vårdagjämning är tiden i månaden ____________ när dag och natt är lika ____________.

7 Arne har gått till ____________________ för att ________________ böcker om bilar, som är hans stora intresse.

8 Varje månad ______________ Gösta en del av lönen på banken för att kunna ______________ en ny bil.

9 När Maria har ________________ i ________________, hänger hon upp tvätten i

________________ i källaren.

10 Erik kände sig så ______________ och ________________ att han måste gå till läkaren.

9

Kunna, veta, betyda, heta, mena

Exempel:

Vad *heter* bil på engelska?

1 Vad ______ Sveriges huvudstad?

2 Vad ______ du med att komma försent?

3 ______ Ni säga mig var Posten ligger?

4 Musiken ______ mycket för Bo.

5 Vad ______ skylten?

6 Erik ______ ingenting om symaskiner.

7 Carmen ______ hur man stavar till Xylofon.

8 Jasna ______ tala svenska.

9 Jag förstår inte riktigt. Vad ______ du?

10 Vad ______ Monika för Bo?

Frekvens

Exempel:

Hur ofta får Göran lön? (en gång/månad)

Göran får lön en gång i månaden.

1 Hur ofta äter Du frukost? (en gång/dag)

______

2 Hur ofta skriver Greta brev till sina barn? (två gånger/månad)

______ ▶

3 Hur ofta har familjen Svensson semester? (en gång/år)

4 Hur ofta är det lördag? (en gång/vecka)

5 Hur ofta ringer telefonen? (en gång/minut)

6 Hur ofta är det natt? (en gång/dygn)

7 Hur ofta dricker du kaffe? (fyra gånger/dag)

8 Hur ofta handlar du? (fem gånger/vecka)

9 Hur ofta andas du? (sexton gånger/minut)

10 Hur ofta åker du tåg? (tre gånger/månad)

11 Hur ofta går du på bio? (några gånger/år)

12 Hur ofta betalar du på ditt lån? (en gång/kvartal)

13 Hur ofta går Köpenhamnståget? (en gång/20 minut)

14 Hur ofta har februari 29 dagar? (en gång/4 år)

60

Verbaladjektiv – presens particip

Skriv presens participformen av verbet!

Exempel:

Vad är en man, som arbetar? Det är en arbetande man.

1 Vad är ett barn, som leker?

2 Vad är en tid, som passar?

3 Vad är ett väder, som växlar?

4 Vad är en lampa, som lyser?

5 Vad är en passagerare, som betalar?

6 Vad är en vän, som förstår?

7 Vad är ett barn, som bråkar?

8 Vad är vatten, som kokar?

9 Vad är en läkare, som har jour?

10 Vad är en bil, som är bakom?

11 Vad är ett par, som grälar?

12 Vad är en medicin, som lugnar?

13 Vad är en storlek, som passar?

14 Vad är barn, som skrattar?

15 Vad är turister, som solbadar?

16 Vad är en elev, som undrar?

17 Vad är ett land, som exporterar vin?

▶

18 Vad är ett arbete, som lönar sig? ______________________

19 Vad är ett ljud, som stör? ______________________

20 Vad är familjer, som promenerar? ______________________

Presens particip

Skriv ett presens particip i meningarna!

Exempel:

Människor som går kallas *gående*

1 Människor som reser kallas ______________________

2 Barn som leker, är ______________________ barn

3 En katt som sover är en ______________________ katt

4 en kvinna som ska ha barn är en ______________________ kvinna

5 en flicka som skrattar är en ______________________ flicka

6 Den som ska bli Annas man är hennes ______________________ man

7 Greta kom och sjöng. Hon kom ______________________

8 Eva kom och sprang. Hon kom ______________________

9 Torsten kom och cyklade. Han kom ______________________

10 Barnet kom och grät. Det kom ______________________

11 Olle kom och visslade. Han kom ______________________

12 Barnet sprang och grät. Det sprang ______________________ hem.

13 Barnet kommer och springer. Det kommer ______________________ mot mamma.

Läsförståelse

1 Berätta om Berits och Kalles framtidsplaner!

2 Vad säger Berits föräldrar, när hon vill ha högre månadspeng?

3 Lena Nyman och Sven Berg är ett ”flygande par”. Berätta om dem!

61

Genom att – utan att

Utan att

Göran har blivit lite rundare om magen. Han har inte märkt det.

(huvudsats) Göran har blivit lite rundare om magen,

(bisats) utan att han har märkt det

Genom att

Ulla har lärt sig engelska. Hon har gått på en kurs.

(huvudsats) __________

(bisats) __________

Utan att

Berit får alltid som hon vill. Hon bråkar inte.

(huvudsats) __________

(bisats) __________

Genom att

Arbetarna protesterade. De sittstrejkade.

(bisats) __________

(huvudsats) __________

ꞏtorlek

ꞏelles kläder passar inte så bra. Vad kan man säga om dem?

ꞏnössan) Mössan är för stor.

ꞏärmarna) ______________________________

ꞏyxorna) ______________________________

ꞏskorna) ______________________________

ꞏodils kläder passar inte heller så bra. Vad kan man säga om dem?

ꞏnössan) ______________________________

ꞏumpern) ______________________________

ꞏyxorna) ______________________________

ꞏtofflorna) ______________________________

ꞏätt in rätt ord!

Skor i storlek 36 är ____________ ____________ för en vuxen man.

Den gamla damen bor ensam i en femrummare. Den är ____________ ____________ för henne.

Bertil är 1.85 cm lång, men hans säng är bara 190 cm lång. Den är ____________ ____________.

Leif är 1.70 cm lång. Hans säng är 200 cm. Den är ____________ lång för honom.

Fembarnsfamiljen bor i en trea. Den är ____________ ____________ ____________.

62

Var, vart, här, hit, där, dit

A Exempel:

Åke frågar, *var* ______ Ellen bor.

1 Lund är en stad, ______ det finns många studenter.

2 Stockholm är en stad, ______ många turister kommer.

3 Göteborg är en stad, ______ man tillverkar Volvobilar.

4 Sverige är ett land, ______ många invandrare åker.

5 Sverige är ett land, ______ det bor många invandrare.

6 Vi måste bestämma, ______ vi vill åka.

7 Svea är här. Hon vill, att du ska komma ______

8 Sibirien är ett land, ______ det är mycket kallt.

9 Norge är det enda land i världen, ______ man talar norska.

10 Frankrike är ett land, ______ man producerar vin.

11 Jag är född på en plats, ______ man talar småländska.

12 Wien är en stad, ______ jag skulle vilja åka.

*B Skriv rätt ord, **där** eller **dit** i meningarna! Titta på exemplet!*

Exempel:

Lund är en stad, *där* ______ familjen Hellström bor.

Lund är en stad, *dit* ______ många turister brukar komma på sommaren.

1 På Storgatan ligger ett hus, ______ Milan har flyttat med sin familj.

2 Eva har en bokhylla, ________ många av hennes böcker står.

3 I köket, ________ mamma lagar mat, brukar det vara varmt och skönt.

4 Sven kör till Sturup, ________ det ligger en stor flygplats.

5 Skåne är ett landskap, ________ många invandrare har flyttat.

6 Bo studerar vid universitetet, ________ han brukar gå varje dag.

7 Milan kör ofta till Malmö, ________ många av hans landsmän bor.

8 Berit går ofta hem till Kjell, ________ hon brukar sitta och lyssna på skivor.

9 Sven hämtar Lena från Sturup, ________ hon har kommit från Italien.

10 Ingrid cyklar till daghemmet, ________ hon lämnar Mats.

Ordkunskap

Skriv motsatser till dessa adjektiv!

Exempel: stor – liten

1	frisk	– ________	11	tjock	– ________
2	pigg	– ________	12	tung	– ________
3	lång	– ________	13	bra	– ________
4	ful	– ________	14	låg	– ________
5	bred	– ________	15	dyr	– ________
6	ung	– ________	16	hård	– ________
7	varm	– ________	17	lugn	– ________
8	långsam	– ________	18	ljus	– ________
9	svår	– ________	19	ny	– ________
10	öppen	– ________	20	ledsen	– ________

B Skriv motsatser till dessa verb!

Exempel: öppna– stänga

1	köpa	– ______	11	ge	– ______
2	duka	– ______	12	stänga av	– ______
3	glömma	– ______	13	sälja	– ______
4	ljusna	– ______	14	svettas	– ______
5	födas	– ______	15	gå och lägga sig	– ______
6	gifta sig	– ______	16	fråga	– ______
7	hinna i tid	– ______	17	älska	– ______
8	lämna	– ______	18	gråta	– ______
9	somna	– ______	19	vara vaken	– ______
10	packa ner	– ______	20	gå hemifrån	– ______

C Skriv sammansatta ord för följande uttryck!

Exempel: strand där man kan bada en badstrand

1 lampa som placeras på bord ______

2 kväll när man inte går ut ______

3 de två sista dagarna i veckan ______

4 inkomst under en månad ______

5 resa med flygplan ______

6 korg att lägga varor i ______

7 plats att gå över gatan ______

8 skåp i köket ______

9 hotellrum för en person ______

10 årskurs 4 – 6 i grundskola ______

63

Ingen/inget/inga/inte någon/inte något/inte några!

A *Exempel:*

Erik ska köpa bil. — Erik ska inte köpa någon bil.

1 Karin har ätit kakor. ____________________

2 Olle har moped. ____________________

3 Ulla har pengar. ____________________

4 Svea vill ha en kopp kaffe. ____________________

5 Torsten har haft bil. ____________________

6 Greta talar annat språk. ____________________

7 Kalle har andra kläder. ____________________

8 De vill bo i ett annat hus. ____________________

B 1 Ulla: "Jag har inga släktingar i Lund".

Ulla säger, att ____________________

2 Birgitta: "Vi har inga bra grammofonskivor."

Birgitta säger, att ____________________

3 Göran: "Vi har inget hus."

Göran säger, att ____________________

Skriv och berätta!

Texten "Semester" slutar med: Vad i all världen ska de göra nu?
Skriv och berätta vad Du tror att de gör!

Likhet och olikhet

Kristina är 25 år men Monika är 24 år.

De är inte lika gamla.

1 Kristina och Monika har stora bruna resväskor.

2 Monika ser inte ut precis som sin mor.

3 Kalle och Olle talar på samma sätt.

4 Karin är alltid glad varje dag.

5 Sven och Lena har en lägenhet tillsammans.

64

ad blir resultatet?

Använd perfekt particip!

Exempel: *Resultat:*

Ulla har lagat maten. Maten är lagad.

1 Kalle har målat stolen. ______

2 Berit har sytt kläderna. ______

3 Carmen har skrivit brevet. ______

4 Olle har stängt dörren. ______

5 Torsten har öppnat fönstret. ______

6 Milan har betalat hyran. ______

7 Berit har dukat bordet. ______

8 Erik har gjort arbetet. ______

9 Anna har läst läxan. ______

10 Monika har släckt lamporna. ______

När Eva Hellström har mycket att göra, brukar hon skriva en lista på de viktigaste sakerna och sedan "pricka av" dem, när hon är färdig.
Så här kan hennes lista se ut en dag:

Exempel:

Bädda sängarna! Sängarna är bäddade.

1 Städa badrummet! ______

2 Byt glödlampa i hallen! ______

3 Skriv brev till mamma! ______ ▶

4 Köp mat till middagen! ______________________________

5 Betala hyran! ______________________________

6 Hämta paketet på posten! ______________________________

7 Baka småkakor! ______________________________

8 Släng soppåsen i sopnedkastet! ______________________________

9 Häng upp tvätten till tork! ______________________________

10 Dammsuga mattorna! ______________________________

11 Översätt brevet! ______________________________

12 Torka golvet! ______________________________

13 Tvätta kläderna! ______________________________

14 Fotografera barnen! ______________________________

15 Kasta de gamla tidningarna! ______________________________

16 Beställ tågbiljetterna! ______________________________

17 Sortera tvätten! ______________________________

18 Kontrollera alla uppgifterna! ______________________________

19 Stek köttbullarna! ______________________________

20 Tänd lamporna! ______________________________

21 Vispa grädden! ______________________________

22 Stryk skjortorna! ______________________________

23 Parkera bilen på gatan! ______________________________

24 Servera middagen! ______________________________

25 Sopa trapporna! ______________________________

̶65

̶Vad blir resultatet?

Exempel: *Resultat:*

Olle har druckit ur glaset. Glaset är urdrucket.

1 Bo har läst ut romanen. ____________

2 Ulla har sytt fast knapparna. ____________

3 Torsten har satt på radion. ____________

4 Kalle har smutsat ner byxorna. ____________

5 Birgitta har hängt upp en tavla. ____________

6 Kalle har dragit för gardinerna. ____________

7 Någon har brutit av pennan. ____________

8 Bo har hällt upp lite vin till Monika. ____________

9 Svea har bjudit in Birgitta på en kopp kaffe. ____________

10 Kristina har samlat in uppgifter om Italien. ____________

11 Erik har klistrat in fotona. ____________

12 Birgitta har blandat i grädde. ____________

13 Bo har stängt av stereon. ____________

14 Pappa har burit in väskorna. ____________

15 Mamma har tagit fram kläderna. ____________

16 Kalle har släppt ut katten. ____________

17 Sjukhuset har lagt in Emma. ____________

18 Eva har skrivit upp receptet. ____________

19 Barnen har slitit ut kläderna. ____________

20 Torsten har satt in pengarna på banken. ____________

66

Aktiv – passiv

A *Skriv meningarna i passiv form!*

Exempel:

Birgitta bakar kakan — Kakan bakas av Birgitta.

1 Verkstaden lagar bilen. ______

2 Man stänger affärerna klockan sex. ______

3 Läkaren tar emot patienterna. ______

4 Olle öppnar dörren. ______

5 Eva bäddar sängen. ______

6 Många studenter besöker biblioteket. ______

7 Barnen plockar blommorna. ______

8 Eva läser boken. ______

9 Mamma dukar bordet. ______

10 Brevbäraren delade ut breven. ______

11 Turisterna besökte campingplatsen. ______

12 Göran har fyllt i deklarationsblanketten. ______

13 Eleverna studerade grammatiken. ______

14 Publiken har sett filmen. ______

15 Olle ska ta ett foto. ______

16 Erik har bytt olja. ______

17 Barnen diskade glasen. ______

18 Ulla har skalat potatisen. ______________________

19 Svea har städat banken. ______________________

20 Göran byggde huset. ______________________

Skriv om receptet i passiv!

VÅRSALLAD

Ingredienser
1 grönsalladshuvud.
1 knippe rädisor
1 hg färsk gurka
2–3 tomater
Sås: 1 msk pressad citron
2–3 msk olja
salt, vitpeppar

Skölj grönsakerna väl. Strimla salladsbladen. Skär rädisorna i skivor. Strimla gurkan. Skär tomaterna i klyftor. Lägg allt i en skål. Blanda samman ingredienserna till såsen. Häll såsen över grönsakerna strax före serveringen. Servera salladen till kött- eller fiskrätter.

67

Resultat

Vad blir resultatet? Använd perfekt particip!

Exempel:

Olle har tänt ljuset. Ljuset är tänt.

1 Kalle har låst upp dörren. ______

2 Vi har köpt blommorna. ______

3 Anna har glömt allt. ______

4 Berit har packat ner böckerna i väskan. ______

5 Mamma har städat rummen. ______

6 Erik har satt in pengarna på banken. ______

7 Ingrid har stängt av TV:n. ______

8 Barnen har dukat av bordet. ______

9 Åke har borstat sina skor. ______

10 Erik har målat om bilarna. ______

Ordföljd

Skriv meningar med orden till vänster! Börja med det ordet som är kursiverat!

Exempel:

mjölk dricker till *Eva* maten ofta

Eva dricker ofta mjölk till maten

i varit säger han att aldrig har Malmö *Åke*

buss skolan *Kalle* inte varje åker dag till

lördag inte är det *I morgon* faktiskt

äter Olle *Medan* frukost	+	alltid brukar han radio lyssna på

du inte kom igår *Varför*	+	som du lovat faktiskt hade

Mamma fram att glömt sätta hade maten på bordet	+	familjen när äta skulle

absolut hit kunde *Ulla* inte komma igår	+	och sig eftersom hon kände sjuk hostade

visserligen *Bo* ganska sig trött i kände morse	+	han till ändå gick men vanligt arbetet som

för att man sig lära måste flitigt svenska studera

pappa hem kommit *när* hade	+	han frågade mamma	+	var maten om färdig

Formellt subjekt

Exempel: En pojke cyklar på gatan. → Det cyklar en pojke på gatan.

1 En kyrka ligger vid torget. ____________________

2 En familj promenerar i parken. ____________________

3 En flicka ligger på stranden och solar. ____________________

4 En fågel flyger över sjön. ____________________

5 Ett barn ligger och sover i sängen. ____________________

6 En bil står i garaget. ____________________

7 En gammal man går i trappan. ____________________

8 Två barn springer på lekplatsen. ____________________

9 Ett par sitter på parkbänken. ____________________

10 En buss står på hållplatsen. ____________________

11 Två flickor kommer gående på gatan. ____________________

12 En tändsticka ligger i askfatet. ____________________

13 Många blommor växer i skogen. ____________________

14 Gamla möbler står i rummet. ____________________

15 En tavla hänger på väggen. ____________________

16 En taxi kör på gatan. ____________________

17 En tidning ligger på bordet. ____________________

18 En student sitter och studerar på biblioteket. ____________________

19 En vän kommer på besök till familjen. ____________________

20 Vackra blommor står i vasen. ____________________

äsförståelse

1 Vad händer på Kristinas och Monikas semester?

2 Varför vill Ulla Nilsson inte städa Kalles rum?

3 Berätta om familjen Svenssons sommarstuga!

68

Ordkunskap

Vad kan man säga i stället för...?

Exempel:

reparera = laga

1	fastän	=	11	koppla av	=
2	mor	=	12	hastigt	=
3	15 minuter	=	13	jämt	=
4	cirka	=	14	med detsamma	=
5	förlåt!	=	15	31 december	=
6	plugga	=	16	3 månader	=
7	handla mat	=	17	gravid	=
8	hitta	=	18	det blir mörkt	=
9	säga 'hej'	=	19	10 kilometer	=
10	mötas	=	20	prata	=

Tidsuttryck

Exempel:

När kom du till Sverige? (5 månader)

Jag kom till Sverige för fem månader sedan.

1 När läste du tidningen? (morse)

2 När ska du ha semester? (sommar)

3 När var du sjuk sist? (vår)

4 När ska du gå till tandläkaren? (måndag)

5 När var du hos doktorn? (måndag)

6 När var du på bio? (en vecka)

7 När ska du börja arbeta? (en vecka)

8 När ska Mats börja förskolan? (höst)

9 När sover du? (natt)

10 När snöade det? (vinter)

11 När är det jul? (december)

12 När kommer du tillbaka? (fem minuter)

69

Trots – trots att

Exempel: Trots ______ regnet badar Olle. Olle badar, trots att ______ det regnar.

1 Milan talar bra svenska ______ sin korta vistelse i Sverige.

______ Milan har varit kort tid i Sverige talar han svenska bra.

2 Ulla räknar fel ______ sitt yrke som kassörska.

______ Ulla är kassörska till yrket räknar hon fel.

3 Bo klarade inte provet ______ sina långa studier.

Bo klarade inte provet, ______ han hade studerat länge.

4 ______ Göran har ett tungt arbete blir han inte särskilt trött.

______ sitt tunga arbete blir Göran inte särskilt trött.

5 ______ en SAAB kostar mycket har Hellströms köpt en sådan bil.

Hellströms har köpt en SAAB, ______ en sådan bil kostar mycket.

6 ______ skilsmässan är Ingrid lycklig.

Ingrid är lycklig, ______ hon är skild.

7 Sven trivs med arbetet, ______ det är oregelbundet.

______ sitt oregelbundna arbete trivs Sven med det.

8 ______ den svåra grammatiken har Monika lärt sig spanska.

Monika har lärt sig spanska, ______ grammatiken är svår.

9 Lena trivs ______ det stressiga arbetet.

______ Lenas arbete är stressigt, trivs hon med det.

10 Torsten är sportig ______ sin höga ålder.

______ Torsten är gammal, sportar han gärna.

Skriv och berätta!

Det här är familjen Svenssons semesterparadis.
Berätta om vad du helst vill göra, när du har semester!

Ordkunskap

Skriv verb och adjektiv!

	verb	adjektiv
Exempel:	mörkna	mörk
1	blåsa	
2		regnig
3	smutsa ner	
4		torr
5	tröttna	

Konjunktioner

A *Stryk under rätt konjunktion!*

Exempel:

Eva badar, eftersom / sedan / som vattnet är varmt.

1 Han heter inte Per Nilsson, och / men / utan Nils Persson.

2 Eva arbetar inte, för att / eftersom / fast det regnar.

3 Olle badar i havet, trots att / eftersom / om det regnar.

4 Åke duschar, när / utan att / innan han har stigit upp

5 Jag kommer, men / fast / om du vill.

Skriv färdigt meningarna!

1 Eva bodde i Eslöv, innan ______

2 Om du vill, ______

3 ______ eftersom ______

4 Trots att ______

5 ______ men ______

6 ______ därför att hon är glad.

7 Fastän Torsten har ______

8 ______ utan att ______

9 ______ och ______

10 ______ när ______

11 Innan ______

12 ______ så att ______

13 ______ därför att ______

14 Medan ______

15 ______ att ______

16 ______ tills ______

70

Emfatisk omskrivning

Exempel:

Vem har lagat maten? (Ulla) — Det är Ulla som har lagat maten.

1 Vem frågade? (Olle) ______

2 Vem har tagit pennan? (Karin) ______

3 Vem ringde? (Erik) ______

Exempel:

Köpte Olle boken på Domus? (Tempo) — Nej, det var på Tempo som han köpte boken.

1 Sov Karin på soffan? (sängen) ______

2 Gick Eva på bio? (teater) ______

3 Talar Carmen finska? (spanska) ______

Ordkunskap

Skriv motsatser!

Exempel: gifta sig – skiljas

1 få – ______

3 födas – ______

4 fråga – ______

5 gå och lägga sig – ______

6 hinna i tid – ______

7 älska – ______

8 öppna – ______

9 hämta – ______

10 glömma – ______

11 gråta – ______

12 ljusna – ______

13 somna – ______

14 stänga av – ______

15 packa ner – ______

16 svettas – ______

äsförståelse

"Borta bra men hemma bäst" – vad talar Sven och Lena om?

2 Berätta om Torsten och Greta Falk!

3 Vad hände i Paris?

71

Konditionalis

A Bilda nya meningar av de två satserna!

Exempel: Solen skiner. Barnen leker utomhus.

a) Om solen skiner, leker barnen utomhus.

b) Skiner solen, leker barnen utomhus.

c) Barnen leker utomhus, om solen skiner.

1 Maria bantar. Hon blir smalare.

a) ______

b) ______

c) ______

2 Vädret blir dåligt. Vi åker inte och badar.

a) ______

b) ______

c) ______

3 Ulla använder köksmaskin. Hemarbetet går lättare.

a) ______

b) ______

c) ______

4 Hissen fastnar. Hissmontören måste komma.

a) ______

b) ______

c) ______

5 Eva behöver hjälp med tvätten. Hon ber Åke om att hjälpa till.

a) ______________________________

b) ______________________________

c) ______________________________

6 Kjell ringer inte. Berit blir ledsen.

a) ______________________________

b) ______________________________

c) ______________________________

7 Olle glömmer sina böcker. Han måste köra hem och hämta dem.

a) ______________________________

b) ______________________________

c) ______________________________

8 Kalle bäddar inte sängen. Mamma blir arg.

a) ______________________________

b) ______________________________

c) ______________________________

3 *Bilda nya meningar av de två satserna!*

Exempel:

Åke vinner 50 000. Han köper ny bil.

a) Om Åke vann 50.000, skulle han köpa ny bil.

b) Vann Åke 50 000, skulle han köpa ny bil.

▶

1 Eva känner sig sjuk. Hon stannar hemma.

a) ______________________________

b) ______________________________

2 Karo får ingen mat. Han blir väldigt hungrig.

a) ______________________________

b) ______________________________

3 Ulla städar inte ofta. Våningen blir smutsig fort.

a) ______________________________

b) ______________________________

4 Kalle kommer för sent. Läraren blir irriterad.

a) ______________________________

b) ______________________________

4 Du röker inte. Du känner dig mycket friskare.

a) ______________________________

b) ______________________________

6 Matilda får flera besök. Hon blir gladare.

a) ______________________________

b) ______________________________

7 Det slutar regna. Vi kan ta en promenad.

a) ______________________________

b) ______________________________

C *Bilda nya meningar av de två satserna!*

Exempel:

Åke/vinna 50 000 – han/köpa ny bil

a) Om Åke hade vunnit 50 000, skulle han (ha) köpt ny bil.

b) Hade Åke vunnit 50 000, skulle han (ha) köpt ny bil.

c) Om Åke hade vunnit 50 000, hade han köpt ny bil.

d) Hade Åke vunnit 50 000, hade han köpt ny bil.

e) Åke skulle ha köpt ny bil, om han hade vunnit 50 000.

f) Åke hade köpt ny bil, om han hade vunnit 50 000.

1 Vi/köpa TV:n kontant – det/bli billigare

a) ______________________________

b) ______________________________

c) ______________________________

d) ______________________________

e) ______________________________

f) ______________________________

2 Eva/inte vara sjuk förra veckan – hon/arbeta som vanligt

a) ______________________________

b) ______________________________

c) ______________________________

d) ______________________________

e) ______________________________

f) ______________________________ ▶

3 Ulla/skynda sig i morse – hon/hinna med bussen

a) ____

b) ____

c) ____

d) ____

e) ____

f) ____

4 Maria/kunna svenska bättre – Milan/inte behöva hjälpa henne

a) ____

b) ____

c) ____

d) ____

e) ____

f) ____

5 Monika/inte lära sig franska så bra – hon/inte klara sig i Paris

a) ____

b) ____

c) ____

d) ____

e) ____

f) ____

Ordkunskap

Skriv motsatser!

Exempel: ofta – sällan

adjö – ______		9	bakom – ______	
mjukt bröd – ______		10	i slutet av – ______	
inga – ______		11	vänster – ______	
utomhus – ______		12	långsamt – ______	
rätt – ______		13	under – ______	
alltid – ______		14	nästa år – ______	
gift – ______		15	öster – ______	
plus – ______		16	vardag – ______	

Skriv och berätta!

Berätta vad du ser på bilden!

72

Perfekt particip och passiv

	Resultat	Vad har hänt?
Exempel:	Matilda Jakobsson ligger nerslagen på marken.	Hon har blivit nerslagen. Hon har slagits ner.
1	Gardinerna är fördragna.	
2	Barnen har druckit upp mjölken.	
3	Emma är inlagd på sjukhus.	
4	Berit har tagit upp böckerna ur väskan.	
5	Mamma har tagit fram kläderna.	

Ordkunskap

Skriv substantiv, verb och adjektiv!

	substantiv	verb	adjektiv
Exempel:	ett ljus	ljusna	ljus
1			arbetsam
2	en likhet		
3			livlig

4		regna	
5	en skilsmässa		
6		köpa	
7			drucken
8			hjälpsam
9	en trötthet		
0			tacksam
1		värma	
2			född
3	ett mörker		
4		intressera	
5	en lycka		
6			hoppfull
7	en svett		
8			promenerade
9			trivsam
0	en känsel		
1		se	
2			parkerad
3		köpa	
4		tvätta	
5	en plan		

En bildberättelse

Skriv en berättelse med hjälp av bilderna!

73

”Man”

Skriv rätt form!

När ________ ska resa utomlands på ________ semester, måste ________ kontrollera att ________ pass är giltigt. ________ måste också packa ner ________ kläder och andra saker, som ________ vill ha med ________ på ________ resa. ________ vänner brukar ofta be ________, att ________ tar med ________ något spännande hem från ________ resa.

Vad säger man…

… när någon säger *Titta i textboken på sidan 219–220!*

Exempel:

Åh, förlåt! *För all del!*

1 Min man har blivit sjuk. ________

2 Hur står det till? ________

3 Trevlig semester! ________

4 Hej, vi ses i morgon! ________

5 Ta gärna lite kött till! ________

6 Det är faktiskt min tur före er! ________

7 Oj, vad maten är dyr nuförtiden! ________

8 Hej! Det var länge sedan! ________

9 Glöm inte att dra ut strykjärnssladden! ________

10 Eva är väl en väldigt trevlig flicka! ________

Ordkunskap

Skriv substantiv och verb!

	substantiv	verb		substantiv	verb
Exempel:	ett bad	*bada*	20	en kunskap	
1	ett behov		21		köpa
2		betyda	22	ett ljus	
3	ett bygge		23		låna
4	en början		24	ett lås	
5		cykla	25		lära sig
6	en del		26	ett meddelande	
7		diska	27		parkera
8	en duk		28	en placering	
9		duscha	29		planera
10	en fisk		30	en presentation	
11		fotografera	31		promenera
12	en färg		32	en resa	
13		förlova sig	33		råna
14	en hjälp		34	en servitris	
15		hälsa	35		simma
16	en händelse		36	en skada	
17		kamma sig	37		sluta
18	kläder		38	en snö	
19		krama	39		spela

40	en student		46	ett val	
41		städa	47		vattna
42	ett svar		48	en visp	
43		tänka	49		växa
44	en tvätt		50	en övning	
45		tända			

Vad kan man göra med en ...?

Exempel:

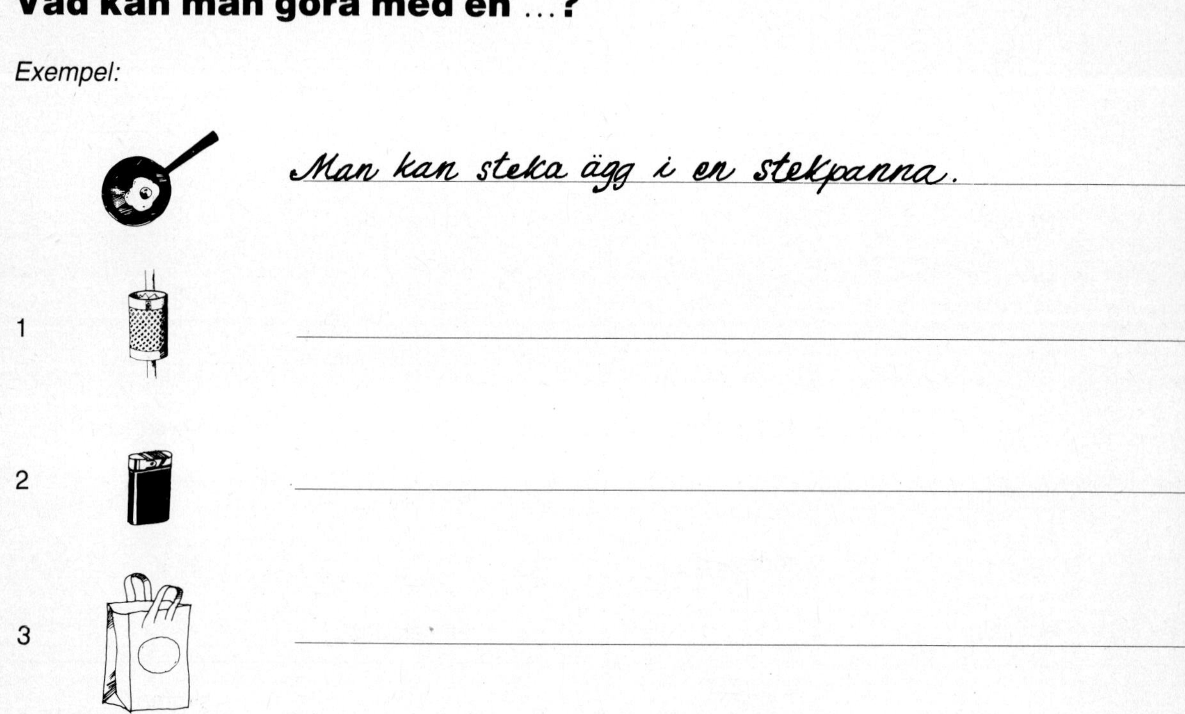

Man kan steka ägg i en stekpanna.
1
2
3
4
5

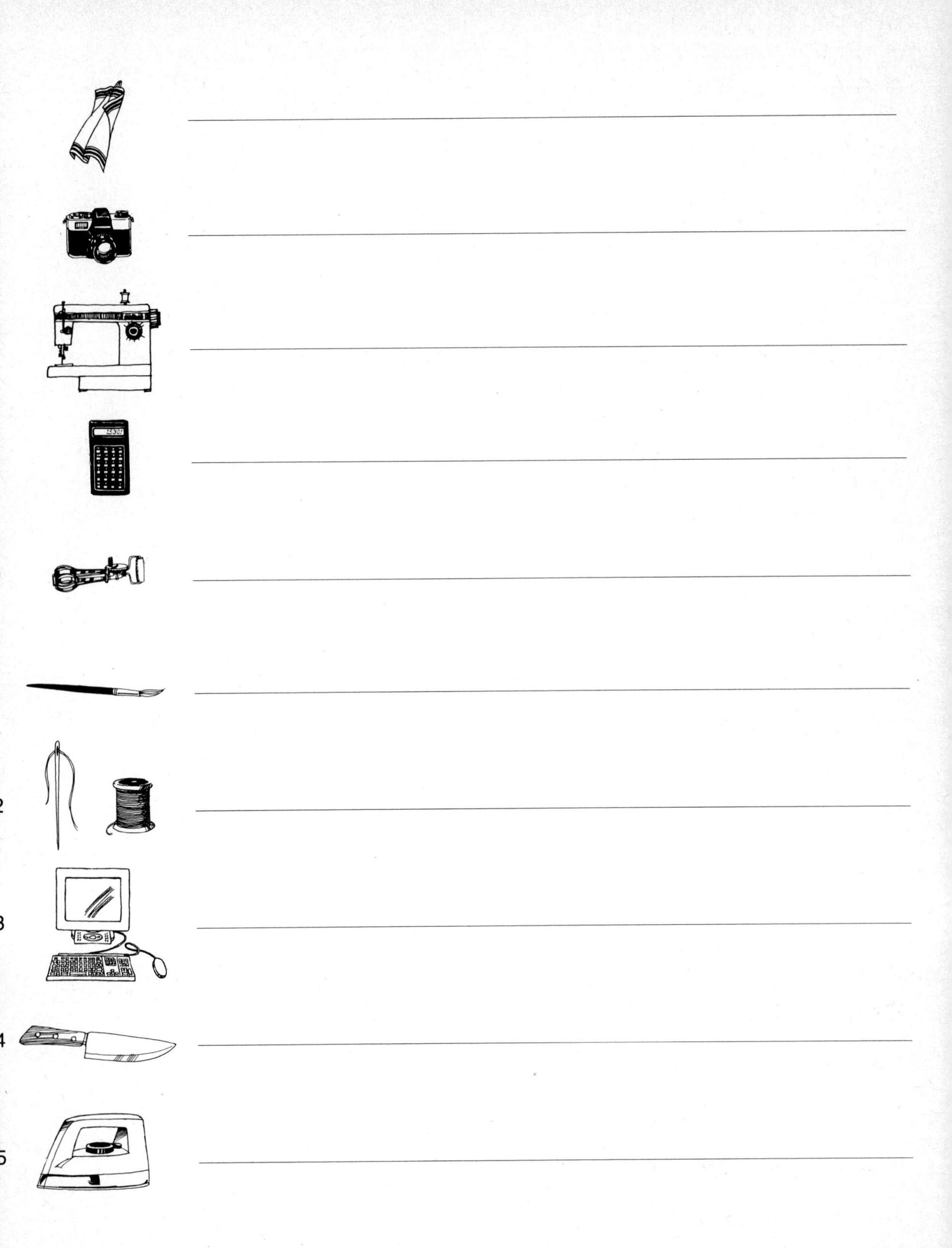

1
2
3
4
5

74

Ju … desto

Skriv meningarna färdigt!

Exempel:

man/har/hög/inkomst-skatten/blir/hög

Ju högre inkomst man har, desto högre blir skatten.

1 Eva/bantar/mycket – hon/blir/slank

2 Vädret/är/varm – många/barn/är ute och leker

3 Vattnet/är/kall – få/människor/åker ut och badar

4 Man/röker/mycket – det/är farlig

5 Åke/köper/stor bil – bilen/är dyr

Ordkunskap

Skriv substantiv och adjektiv!

	substantiv	adjektiv
Exempel:	en charm	charmig
1	en blomma	

2	en ekonomi	
3		elektrisk
4		europeisk
5	ett hjärta	
6		intressant
7	en kyla	
8		ledig
9		möjlig
10	en nerv	
11		politisk
12	en praktik	
13	en sol	
14		svensk
15	en värme	
16		regnig
17	en hjälp	
18		livlig
19	ett ljus	
20		tacksam
21	en likhet	
22		vänlig

75

Ordkunskap

A *Skriv sammansatta ord!*

Exempel: en motor + en väg = en motorväg

1 en heltid+ett arbete=

2 en tull+en tjänsteman=

3 en försäkring+en kassa=

4 att leka+en kamrat=

5 en blomma+en bukett=

6 en nybörjare+en bok=

7 en banan+ett skal=

8 en taxi+en chaufför=

9 ett hus+en vagn=

10 ett kaffe+en kanna=

11 att bada+ett rum+ett skåp=

12 en bil+en olycka=

13 en metall+en industri+en arbetare=

14 att spara+ett lån=

15 ett lamm+ett kött=

16 att städa+en dag=

17 ett modersmål + en lärare =

18 ett huvud+en värk=

19 en korv+en kiosk=

20 en del+en tid+ett arbete=

21 en tand+en borste=

22 en jul+ett lov=

23 en bostad+en förmedling=

24 en bensin+ett pris=

25 att hosta+en medicin=

26 att bada+en borste=

27 ett pris+en lapp=

28 en kväll+en tidning=

29 kall+ett vatten+en kran=

30 en bostad+ett bidrag=

31 en buss+en biljett=

32 en stad+en park=

33 en skola+ett barn=

34 en blomma+en kruka=

35 en födelse+en dag+en present=

36 en flicka+en cykel=

37 ett kök+en hand+en duk=

38 ett arbete+en förmedling=

39 en bensin+en kostnad=

40 en karta+en bok=

▶

41 ett språk+en kurs=

____

42 en mjölk+ett glas=

____

43 att sopa+en borste=

____

44 att köra+ett kort+en bok=

____

45 en ficka+pengar=

____

46 en konserv+en burk=

____

47 ett år+en inkomst=

____

48 efter+en middag+ett kaffe=

____

49 fri+en tid+en gård=

____

50 att baka+ett pulver=

____

B *Vad kallas han? Vad kallas hon?*

Exempel:	**maskulin**	**feminin**
	en far	*en mor*
1	__________	en svenska
2	en städare	__________
3	__________	en mamma
4	en morbror	__________
5	__________	en fransyska
6	en farbror	__________
7	__________	en kvinna
8	en svärson	__________

9 ____________________ en flicka

0 en vän ____________________

1 ____________________ en afrikanska

2 en son ____________________

3 ____________________ en faster

4 en svåger ____________________

5 ____________________ en flickvän

örkortningar

ad betyder förkortningarna?

xempel: FN = Förenta Nationerna

1 fr. = ____________________

2 moms = ____________________

3 PC = ____________________

4 f.n. = ____________________

5 USA = ____________________

6 EU = ____________________

7 Sfi = ____________________

8 krm = ____________________

9 & = ____________________

10 % = ____________________

11 tr. = ____________________

12 SE = ____________________

13 DN = ____________________

14 dvs = ____________________

15 t.ex. = ____________________

16 kr. = ____________________

17 @ = ____________________

18 ARN = ____________________

19 SEK = ____________________

20 40+ = ____________________

En bildberättelse

Skriv en berättelse med hjälp av bilderna!

En liten slutövning

Skriv rätt uttryck på de tomma platserna med hjälp av informationen som ofta finns (inom parentes)!

Nu ______________ jag här och gör den sista ______________ i denna ______________.
(sitta) (övning) (övning + bok)

Jag ______________ att jag ______________ ______________ ______________ ______________
(tänker/tycker/tror) (få lära sig)

ganska mycket svenska. Jag har lärt mig ______________ 4 500 nya ord, de ______________
(ung.) (viktig,superlativ)

______________ av den ______________ ______________ och många ______________
(del) (svensk) (grammatik) (praktisk)

uttryck som ______________ i ______________. Men jag har också lyssnat på ______________
(använda) (vardag + liv) (tala)

svenska och försökt att ______________ ______________ att säga de ______________ ______________.
(lära sig) (svensk) (ljud)

Det är särskilt de 17 ______________ som är svåra för ______________ som lär sig ______________.
(vokal + ljud) (språk)

De svenska ______________ är ju också mycket svåra. Nu är det ______________
(satsaccent & tonaccent) (viktig)

att jag fortsätter ______________ ha god kontakt ______________ språket genom att ______________

på radio, ______________ på ______________, läsa ______________ och ______________
(television) (tidning) (bok)

men också genom att ______________ med ______________ både i ______________
(vara tillsammans) (människor i Sverige) (arbete + liv)

och på ______________. Det är alltid ______________ att lära sig ______________ ______________
(fri + tid) (lätt, komparativ) (artikel) (ny)

______________ om ______________ bor i det ______________ där språket ______________. Naturligtvis
(språk) (pronomen) (land) (tala)

______________ jag också försöka använda mina ______________ så ofta ______________ möjligt.
(ord + bok)